Collection folio junior en poésie

dirigée par
*Jean-Olivier Héron
et Pierre Marchand*

présenté par
Jacques Charpentreau

la France
en poésie

Gallimard

LA FRANCE EN POÉSIE

La France existe dans l'espace. Elle apparaît sur les cartes de géographie. On apprend à la dessiner. Chaque enfant peut tenir entre ses mains le petit hexagone de rhodoïd qui la représente. Plus tard, il la parcourt et rencontre la diversité des gens et des paysages.

La France existe dans le temps. Elle a une histoire qui a cheminé jusqu'à nous à travers les siècles et nous entraîne de gré ou de force dans la communauté nationale. Que cela nous plaise ou non, nous sommes tenus d'assumer l'héritage.

La France existe dans les cœurs. Chacun porte en soi, d'après sa vie, ses lectures, ses opinions, une certaine idée de la France. Chacun, qu'il soit français ou non, en a sa propre image.

La France est diverse, multiple, parfois divisée comme un miroir brisé.

La France qui apparaît dans ce livre, c'est celle des poètes que j'aime, à travers les paysages, les gens, les événements, les souffrances, les espoirs, à travers l'histoire.

C'est la France qui libérait les peuples, et non pas celle qui les asservissait. C'est la France des poètes, des savants, des artistes — et c'est la France des gens ordinaires dont les ressources sont étonnantes, l'histoire récente en témoigne encore et la vie de tous les jours.

C'est la France qui a résisté à l'oppression, pas celle qui collaborait avec l'oppresseur ; c'est la France qui a protesté contre les guerres coloniales, pas celle qui les approuvait ; c'est la France fraternelle, accueillante, généreuse. C'est parfois la France des proscrits, des rebelles, c'est la France des Droits de l'homme.

Mais alors, à travers ces poèmes qui saluent cette France-là, quelle foule !

J'aurais aimé tout citer, tout reprendre, tout partager. C'était impossible. Il a fallu choisir parmi les paysages, les régions diverses d'une République une et indivisible, les héros célèbres ou inconnus, ceux d'hier, ceux d'aujourd'hui. À voir tout ce qui a dû être sacrifié, j'ai mesuré la richesse de ce thème.

Choisir, donc, en tenant compte de la qualité poétique des textes, de leur variété, de leur diversité, de leur résonance aujourd'hui. Malgré les guerres qui jalonnent l'histoire de la France, essayer de ne rien mettre de désobligeant pour personne : une poésie peut être nationale sans être nationaliste.

Choisir, mais en constatant aussi que la richesse de la poésie consacrée à la France est inégale : certains épisodes sont privilégiés par les poètes, d'autres peu représentés ; c'est au XIXe et au XXe siècle que ce thème est le plus riche.

Choisir en fonction, également, de notre sensibilité d'aujourd'hui, de notre langue aussi, car il y a d'admirables poèmes du passé lointain qu'on ne déchiffre plus sans initiation linguistique. Choisir en fonction de notre sentiment national moderne, mais pas forcément des conventions.

L'histoire récente nous a montré que les poètes les plus contestataires étaient ceux qui, au moment de l'orage, ne pliaient pas le dos, faisaient face et, loin de se retirer dans une tour d'ivoire, s'engageaient corps et âme, alors que les nationalistes en chambre se contentaient, avec un joli mouvement de menton, d'inciter les autres au sacrifice — ou même trahissaient. C'est ainsi que les surréalistes qui avaient récusé (et avec quelle violence !) une certaine France cocardière se sont retrouvés pour la défendre au péril de leur vie dans l'épreuve de la Résistance.

Mais c'est toute l'histoire qui montre cet engagement des poètes, dont le symbole reste l'exil et l'œuvre de Victor Hugo face à la dictature de Napoléon III. Car la France des poètes, c'est d'abord celle de la liberté. Il est frappant de voir comme les deux thèmes se rejoignent au fur et à mesure que le sentiment national s'affirme.

C'est la France des luttes sociales, des affrontements (jusqu'à la guerre civile, parfois, hélas !), celle des lentes conquêtes des travailleurs ou des explosions sociales.

Mais c'est aussi la France d'un certain art de vie, d'un climat, de paysages agréablement variés, d'une culture. La France où il fait bon vivre. C'est « la douce France » comme disait déjà au XIIᵉ siècle l'auteur de *La Chanson de Roland*.

Chaque pays possède sans doute une littérature poétique qui exalte l'appartenance au groupe national. La France ne fait pas exception. Les liens semblent les plus forts au moment des grandes crises qui ne nous ont jamais manqué.

La Patrie — la terre des pères — apparaît alors comme une entité vivante. Son allégorie la plus courante, c'est une femme : mère, sœur, épouse, amante... C'est son visage qui se dessine en filigrane dans *La France en poésie*.

Jacques CHARPENTREAU

À la France

...
Mais, poète et français, j'aime à vanter la France.
Qu'elle accepte en tribut de périssables fleurs.
Malheureux de ses maux et fier de ses victoires,
Je dépose à ses pieds ma joie ou mes douleurs :
    J'ai des chants pour toutes ses gloires,
    Des larmes pour tous ses malheurs.

Casimir DELAVIGNE

LA FRANCE

Ah ! Quelle vie ! quelle fraîcheur, quelle gaîté !
La France court les bois et court sous les pommiers.
Hé ! Dieu ! Quelle souplesse et quelle agilité !
La France court les airs et court les pigeonniers.
Quelle fougue de voir, quel désir de monter !
La France court le Ciel, est-ce un paradisier ?
Quelle joie de sonder l'abîme et d'exister !
De tout l'esprit du Monde elle est seule hantée.
Quelle âme, quel amour, quel feu, quelle clarté !
La France court l'espace et court l'éternité.

Village de Bourgogne

OUVREZ L'AILE D'UNE CHANSON...

...

Ouvrez l'aile d'une chanson
Sur les jardins de France où fleurit le lilas
Comme s'ouvre un soleil dans le creux d'un buisson
Sur la poitrine d'un soldat

La balle au cœur le liseron la capucine
Dans quelle tombe et quelle terre
Où la forêt a pris racine
Chercher un corps mes amis morts des temps de guerre

Et si la belle la voilà
Le liseron la capucine aux quatorze juillets
Accrochez les lampions des villas
Dans les jardins émerveillés

Si l'on planta le liseron la capucine
Le lilas aux jardins de France
Si l'on entend d'une colline
La flûte du berger aux mois des transhumances

Et si la belle que voilà
Paraît au clair de la clairière où brûle un feu
Brûle un cœur si le livre à la croix s'enroula
Pour quel serment et quel aveu

Alors va mon amour dans les jardins de France
Où tout amour est une vie
Et toute mort y ensemence
Comme un amour vivant l'amour de la patrie

...

PATRIA

(musique de Beethoven)

Là-haut qui sourit ?
  Est-ce un esprit ?
  Est-ce une femme ?
Quel front sombre et doux !
  Peuple, à genoux !
  Est-ce notre âme
Qui vient à nous ?

Cette figure en deuil,
Paraît sur notre seuil,
Et notre antique orgueil
  Sort du cercueil.
Ses fiers regards vainqueurs
Réveillent tous les cœurs,
Les nids dans les buissons,
  Et les chansons.

C'est l'ange du jour ;
  L'espoir, l'amour
  Du cœur qui pense ;
Du monde enchanté
  C'est la clarté.
  Son nom est France
Ou Vérité.

Bel ange, à ton miroir
Quand s'offre un vil pouvoir,
Tu viens, terrible à voir,
  Sous le ciel noir.
Tu dis au monde : Allons !
Formez vos bataillons !
Et le monde ébloui
  Te répond : Oui.

C'est l'ange de nuit.
  Rois, il vous suit,
  Marquant d'avance
Le fatal moment
  Au firmament.
  Son nom est France
  Ou Châtiment.

Ainsi que nous voyons
En mai les alcyons,
Voguez, ô nations,
  Dans ses rayons !
Son bras aux cieux dressé
Ferme le noir passé
Et les portes de fer
  Du sombre enfer.

C'est l'ange de Dieu.
  Dans le ciel bleu
  Son aile immense
Couvre avec fierté
  L'humanité.
  Son nom est France
  Ou Liberté !

                    Jersey, septembre 1853.

JE VOUS SALUE MA FRANCE...

...

Je vous salue ma France arrachée aux fantômes
Ô rendue à la paix Vaisseau sauvé des eaux
Pays qui chante Orléans Beaugency Vendôme
Cloches Cloches sonnez l'angelus des oiseaux

Je vous salue ma France aux yeux de tourterelle
Jamais trop mon tourment mon amour jamais trop
Ma France mon ancienne et nouvelle querelle
Sol semé de héros ciel plein de passereaux

Je vous salue ma France où les vents se calmèrent
Ma France de toujours que la géographie
Ouvre comme une paume aux souffles de la mer
Pour que l'oiseau du large y vienne et se confie

Je vous salue ma France où l'oiseau de passage
De Lille à Roncevaux de Brest au Mont-Cenis
Pour la première fois a fait l'apprentissage
De ce qu'il peut coûter d'abandonner un nid

Patrie également à la colombe ou l'aigle
De l'audace et du chant doublement habitée
Je vous salue ma France où les blés et les seigles
Mûrissent au soleil de la diversité

Je vous salue ma France où le peuple est habile
À ces travaux qui font les jours émerveillés
Et que l'on vient de loin saluer dans sa ville
Paris mon cœur trois ans vainement fusillé

Heureuse et forte enfin qui portez pour écharpe
Cet arc-en-ciel témoin qu'il ne tonnera plus
Liberté dont frémit le silence des harpes
Ma France d'au-delà le déluge salut

FRANCE, MÈRE DES ARTS...

France, mère des arts, des armes et des lois,
Tu m'as nourri longtemps du lait de ta mamelle :
Ores, comme un agneau qui sa nourrice appelle,
Je remplis de ton nom les antres et les bois.

Si tu m'as pour enfant avoué quelquefois,
Que ne me réponds-tu maintenant, ô cruelle ?
France, France, réponds à ma triste querelle.
Mais nul, sinon Écho, ne répond à ma voix.

Entre les loups cruels j'erre parmi la plaine,
Je sens venir l'hiver, de qui la froide haleine
D'une tremblante horreur fait hérisser ma peau.

Las, tes autres agneaux n'ont faute de pâture,
Ils ne craignent le loup, le vent, ni la froidure :
Si ne suis-je pourtant le pire du troupeau.

En-tête d'un sonnet à la gloire de la France, XVIe siècle

CHANT D'EXIL

Il y aura encore ici ce mois d'avril
Et je rêve à la France
Moi j'ignorais, quand je disais ce mot « exil »,
Ce que c'est que l'absence.

Il y aura encore ici des jours très longs
Je rêve à la tendresse
Il y aura la vie comme un cercueil de plomb
Où s'éteint ma jeunesse.

Il y aura le vide et l'angoisse des nuits
Quand le passé résonne
Comme un roulement sourd de détresse et de pluie
Sur un jardin d'automne.

Oh mon pays ! C'était bien vrai que je t'aimais
Comme on aime une femme
Quand le son de sa voix, le dessin de ses traits
Mordent comme une flamme.

Ma France de lumière au sourire d'enfant
Qui brille et qui éclaire,
Je t'appelle et t'évoque en ce soir de printemps
Où tout nous désespère.

Ils disent que tu vas mourir
Que tu n'es qu'un beau souvenir,
Les hérauts de l'âge mauvais
Qui ont pour mot d'ordre : jamais.

Ils attendent ton agonie
Dans l'atroce et sombre folie
Du monde tordu par la guerre,
Noyé par les flots de colère
Et moi, France, je vois tes yeux
Où vit le reflet merveilleux
De tes joies et de tes douleurs
De tes élans vers le bonheur.

LE PAYS

Ma France, quand on a nourri son cœur latin
    Du lait de votre Gaule,
Quand on a pris sa vie en vous, comme le thym,
    La fougère et le saule,

Quand on a bien aimé vos forêts et vos eaux,
    L'odeur de vos feuillages,
La couleur de vos jours, le chant de vos oiseaux,
    Dès l'aube de son âge,

Quand amoureux du goût de vos bonnes saisons
    Chaudes comme la laine,
On a fixé son âme et bâti sa maison
    Au bord de votre Seine,

Quand on n'a jamais vu se lever le soleil
    Ni la lune renaître
Ailleurs que sur vos champs, que sur vos blés vermeils,
    Vos chênes et vos hêtres,

Quand jaloux de goûter le vin de vos pressoirs,
    Vos fruits et vos châtaignes,
On a bien médité dans la paix de vos soirs
    Les livres de Montaigne,

Quand pendant vos étés luisants, où les lézards
    Sont verts comme des fèves,
On a senti fleurir les chansons de Ronsard
    Au jardin de son rêve,

Quand on a respiré les automnes sereins
    Où coulent vos résines,
Quand on a senti vivre et pleurer dans son sein
    Le cœur de Jean Racine,

Quand votre nom, miroir de toute vérité,
    Émeut comme un visage,
Alors on a conclu avec votre beauté
    Un si fort mariage

Que l'on ne sait plus bien, quand l'azur de votre œil
    Sur le monde flamboie,
Si c'est dans sa tendresse ou bien dans son orgueil
    Qu'on a le plus de joie...

Ronsard

Pays et paysages

ET CEPENDANT, LA FRANCE...

Que la France est belle avec ses coteaux,
que la France est noble avec ses plateaux,
sa forêt sensible au moindre air d'en haut,
ses plaines, ses monts, ses blés, ses ormeaux !
Que la France est jeune avec ses oiseaux !
et vive et limpide avecque ses eaux !
Si je dis cela ce m'est doux rappel
que la France est belle avec ses drapeaux,
et je crois entendre un chant éternel
qui né de mon cœur me monte au cerveau.

Paul FORT

LA FRANCE

...

Les chênes, les sapins et les ormes épais
En utiles rameaux ombragent tes sommets,
Et de Beaune et d'Aï les rives fortunées,
Et la riche Aquitaine, et les hauts Pyrénées,
Sous leurs bruyants pressoirs font couler en ruisseaux
Des vins délicieux mûris sur leurs coteaux.
La Provence odorante et de Zéphyre aimée
Respire sur les mers une haleine embaumée,
Au bord des flots couvrant, délicieux trésor,
L'orange et le citron de leur tunique d'or ;
Et plus loin, au penchant de collines pierreuses,
Forme la grasse olive aux liqueurs savonneuses
Et ces réseaux légers, diaphanes habits,
Où la fraîche grenade enferme ses rubis.
Sur tes rochers touffus, la chèvre se hérisse,
Tes prés enflent de lait la féconde génisse ;
Et tu vois tes brebis, sur le jeune gazon,
Epaissir le tissu de leur blanche toison.
Dans les fertiles champs voisins de la Touraine,
Dans ceux où l'Océan boit l'urne de la Seine,
S'élèvent pour le frein des coursiers belliqueux.
Ajoutez cet amas de fleuves tortueux :
L'indomptable Garonne aux vagues insensées,
Le Rhône impétueux, fils des Alpes glacées.
La Seine au flot royal, la Loire dans son sein
Incertaine, et la Saône, et mille autres enfin
Qui nourrissent partout, sur tes nobles rivages,
Fleurs, moissons et vergers et bois et pâturages,
Rampent au pied des murs d'opulentes cités,
Sous les arches de pierre à grands bruits emportés.

...

TERRE D'AMOUR

Ô mon pays de Bray picard, peuplé de haies,
Quelle âme aromatique, irrésistible et douce
Habite en toi, parmi les myrtils et la mousse,
Parmi les prés en fleurs et les hautes futaies !

Parce que nous goûtons la rouille de tes sources,
Le pain de tes froments, le cidre de tes pommes,
Ta glèbe a pénétré dans la chair que nous sommes,
Et tes fils, loin de toi, perdent toutes ressources.

C'est que les morts couchés au flanc de tes collines
Ont haleté sur toi de toutes leurs poitrines
Et t'ont, le long des jours, baigné de sueurs lentes,

C'est que le ciel, soir et matin, mouille et féconde,
Du magique baiser de tes lèvres sanglantes,
Ton sol amer, où le fer brun gît sous la sonde.

VOUS POUVEZ CONDAMNER UN POÈTE AU SILENCE...

Vous pouvez condamner un poète au silence
Et faire d'un oiseau du ciel un galérien
Mais pour lui refuser le droit d'aimer la France
Il vous faudrait savoir que vous n'y pouvez rien

La belle que voici va-t-en de porte en porte
Apprendre si c'est moi qui t'avais oubliée
Tes yeux ont les couleurs des gerbes que tu portes
Le printemps d'autrefois fleurit ton tablier

Notre amour fut-il feint notre passion fausse
Reconnaissez ce front ce ciel soudain troublé
Par un regard profond comme parfois la Beauce
Qu'illumine la zizanie au cœur des blés

N'a-t-elle pas ces bras que l'on voit aux statues
Au pays de la pierre où l'on fait le pain blond
Douce perfection par quoi se perpétue
L'ombre de Jean Racine à La Ferté-Milon

Le sourire de Reims à ses lèvres parfaites
Est comme le soleil à la fin d'un beau soir
Pour la damnation des saints et des prophètes
Ses cheveux de Champagne ont l'odeur du pressoir

Ingres de Montauban dessina cette épure
Le creux de son épaule où s'arrête altéré
Le long désir qui fait le trésor d'une eau pure
À travers le tamis des montagnes filtré

Louis ARAGON

Ô Laure l'aurait-il aimée à ta semblance
Celle pour qui meurtrie aujourd'hui nous saignons
Ce Pétrarque inspiré comme le fer de lance
Par la biche échappée aux chasseurs d'Avignon

Appelez appelez pour calmer les fantômes
Le mirage doré de mille-et-un décors
De Saint-Jean-du-Désert aux caves de Brantôme
Du col de Roncevaux aux pentes du Vercors

Il y a dans le vent qui vient d'Arles des songes
Qui pour en parler haut sont trop près de mon cœur
Quand les marais jaunis d'Aunis et de Saintonge
Sont encore rayés par les chars des vainqueurs

...
Qu'importe que je meure avant que se dessine
Le visage sacré s'il doit renaître un jour
Dansons ô mon enfant dansons la capucine
Ma patrie est la faim la misère et l'amour

(1942)

Le cor de Roland

L'Épée dite de Roland

MON ENFANCE CAPTIVE...

Mon enfance captive a vécu dans des pierres,
Dans la ville où sans fin, vomissant le charbon,
L'usine en feu dévore un peuple moribond.
Et pour voir des jardins je fermais les paupières...

J'ai grandi ; j'ai rêvé d'orient, de lumières,
De rivages de fleurs où l'air tiède sent bon,
De cités aux noms d'or, et, seigneur vagabond,
De pavés florentins où traîner des rapières.

Puis je pris en dégoût le carton du décor
Et maintenant j'entends en moi l'âme du Nord
Qui chante, et chaque jour j'aime d'un cœur plus fort

Ton air de sainte femme, ô ma terre de Flandre,
Ton peuple grave et droit, ennemi de l'esclandre,
Ta douceur de misère où le cœur se sent prendre,

Tes marais, tes prés verts où rouissent les lins,
Tes bateaux, ton ciel gris où tournent les moulins,
Et cette veuve en noir avec ses orphelins...

LA PLUIE

La pluie tombe infinie. Les horizons s'enfuient. Où vont-ils ces coteaux, ces coteaux sous la pluie, qui portent sur leur dos ces forêts qui s'ennuient ?

Où donc est Andely, Andely-le-Petit ? son coteau ? son château ? je les voyais tantôt. Les horizons s'enfuient. La pluie tombe infinie.

Du côté des forêts, qui donc réapparaît ? Ce géant, est-ce lui ? Est-ce toi, vieux château qui vas courbant ton dos sous neuf siècles d'ennuis ?

La pluie tombe infinie.

Le petit Andely

Jean LOISY

ENTRE L'OISE ET LA MARNE

Entre l'Oise et la Marne,
Pays de mes amours,
Il y a Senlis et ses tours,
Sylvie à sa lucarne ;
Pays des anciennes bergères,
Et que les rois n'épousaient guère,
Il y eut dans Ermenonville,
Loin de la cour et de la ville,
Les dames roses de Rousseau,
Têtes menues, cols blancs et hauts,
Que trancheront les échafauds...
Il y a les forêts, les hameaux, les garennes
Et il y a Mortefontaine :
Nerval y vint en rêve de Paris ;
Carot rêva sur l'étang gris,
Où Stendhal rêvait d'Italie ;
Et Carco rêva de Nerval
Et nous, nous rêvons de Carco.
Il y a, tendre, le coteau,
Secret, le val ;
Et il y a la chasse à courre
Noire et verte, rouge et noire ;
Et il y a l'Histoire,
Ce deuil sonore et solennel qu'un cadre d'or entoure !
Pays, toujours de tant de guerres,
Il y a plus de soldats
Tombés en file ou bien en tas
Que de lopins de terre
Aux confins adoucis de cette longue plaine

Qui nous vient de l'Oural par la Prusse et l'Ardenne !...
Il y a Vers, Othis et Dammartin.
Jeanne pria dans Dammartin.
C'était le soir de son matin.
Péguy
Pria, pour sa dernière nuit,
Dans une humble chapelle, autrefois une grange :
Rien ne lui parut moins étrange.
Il partit, au petit matin,
Vers le but, vers la fin,
Vers cette balle au front, debout, parmi les céréales,
Et le portail s'ouvrait des hautes cathédrales !...
Des cerfs brament dans ces clairières.
Des soldats gisent aux lisières ;
Pays de sillons bruns sur les terres brumeuses,
Sous les nuages vifs accourus de la mer,
Et dont l'air
Sent la paille au temps jaune et la sève au temps vert
Et, quelquefois, les flots montant vers les valleuses...
Ô ma campagne de Paris,
Ma retraite et mon cimetière !
Il existe une part, là-bas, de cette terre
Où l'amour est enseveli,
Mais où murmure l'espérance
Quand mon cœur s'accélère à ce cœur de la France...
Ô mon pays,
Mon Histoire et ma Géographie
Mon envol, mon abri,
Ma poésie
Pareille à l'alouette, à cette gorge entre deux ailes,
Qui s'exalte à l'azur, puis retombe aux sillons,
Chantant pour l'herbe simple et pour l'ample horizon,
Ivre de quel appel, à quel amour fidèle ?

AULAINES

La terre ne me porte plus.
Une aile me pousse aux talons.
J'aborde au paradis perdu
Et je le nomme par son nom.
Je dis Aulaines et d'un seul coup
La porte s'ouvre et je vois tout.
Je vois l'espace entre les arbres
J'entends les oiseaux, leurs palabres
À cœur chantant, à cœur battant,
Sur le tambour de mon tympan.
Car je suis fille de racines,
Fille-chêne aux pieds enfoncés
Dans le terreau des origines.
Diocésaine de mon clocher !
La route tourne. Un champ de blé
Gonfle son ressac sous l'averse
Pareille à ce monde emblavé,
Comme une plante à la renverse
Je danse sur place et je suis
Plus morte que vive, et je puis
Avec mon instinct le plus sûr,
Deviner le temps des fruits mûrs.
Je porte ce village en moi.
Je m'en nourris jusqu'à l'écorce
Mes cheveux y puisent leur force
Et je me sens marcher plus droit.

MAIS RÉPONDS, MÉCHANT LOIR...

Mais réponds, méchant Loir, me rends-tu ce loyer
Pour avoir tant chanté ta gloire et ta louange ?
As-tu osé, barbare, au milieu de ta fange
Renversant mon bateau, sous tes eaux m'envoyer ?

Si ma plume eût daigné seulement employer
Six vers à célébrer quelque autre fleuve étrange,
Quiconque soit celui, fût-ce le Nil, ou Gange,
Comme toi n'eût voulu dans ses eaux me noyer :

D'autant que je t'aimais, je me fiais en toi,
Mais m'as-tu bien montré que l'eau n'a pas de foi.
N'es-tu pas bien méchant ? Pour rendre plus famé

Ton cours, à tout jamais du los qui de moi part,
Tu m'as voulu noyer, afin d'être nommé
En lieu du Loir, le fleuve où se noya Ronsard.

La Loire, 1699

HEUREUX QUI, COMME ULYSSE...

Heureux qui, comme Ulysse, a fait un beau voyage,
Ou comme cestui-là qui conquit la toison,
Et puis est retourné, plein d'usage et raison,
Vivre entre ses parents le reste de son âge !

Quand reverrai-je, hélas ! de mon petit village
Fumer la cheminée, et en quelle saison
Reverrai-je le clos de ma pauvre maison,
Qui m'est une province, et beaucoup davantage ?

Plus me plaît le séjour qu'ont bâti mes aïeux
Que des palais romains le front audacieux ;
Plus que le marbre dur me plaît l'ardoise fine,

Plus mon Loire gaulois que le Tibre latin,
Plus mon petit Liré que le mont Palatin,
Et plus que l'air marin la douceur angevine.

Angers

LA VENDÉE

Vendéenne

La Vendée
a le visage rond
le cheveu lisse
la taille haute
et le cotillon long

La Vendée
a le regard sérieux
la main vive
le pied alerte
le cœur profond

La Vendée
parle peu
écoute beaucoup
agit sans bruit
et croit en Dieu

Les danseurs du Bocage

José Maria de HEREDIA

BRETAGNE

Pour que le sang joyeux dompte l'esprit morose,
Il faut, tout parfumé du sel des goëmons,
Que le souffle atlantique emplisse tes poumons ;
Arvor t'offre ses caps que la mer blanche arrose.

L'ajonc fleurit et la bruyère est déjà rose.
La terre des vieux clans, des nains et des démons,
Ami, te garde encor sur le granit des monts,
L'homme immobile auprès de l'immuable chose.

Viens. Partout tu verras, par les landes d'Arèz,
Monter vers le ciel morne, infrangible cyprès,
Le menhir sous lequel gît la cendre du Brave ;

Et l'Océan, qui roule en un lit d'algues d'or
Is la voluptueuse et la grande Occismor,
Bercera ton cœur triste à son murmure grave.

LA MER S'ÉVEILLE...

La mer s'éveille au long des cales.
Voici Saint-Pol, Vannes, Tréguier,
Les pâles villes monacales ;
Roscoff, assis sous son figuier ;

Et Morlaix, la vive artisane ;
Guingamp, qui, fidèle à son duc,
Montre maint coup de pertuisane
Aux trous de son manteau caduc ;

Penmarc'h, désolé par brumaire ;
Auray la sainte ; Erg au flot blanc,
Et Lannion, qui fut ma mère
Et que mon cœur nomme en tremblant.

...

Vannes
Tréguier
Morlaix

ENFANTS DE NANCY

À riche ou chiche étrenne,
les enfants de Nancy
sont princes de Lorraine
et n'ont d'autre souci
que de monter en graine.

Qui s'y frotte s'y pique
au chardon de Nancy.
Sous ses murs, c'est ici
qu'un duc au cœur épique
a péri sous les coups.

Anonyme en l'armure,
l'âme d'un Téméraire
vit sa mort sous vos murs,
se souvient de vos pères
et de la faim des loups.

Enfants, deviendrez grands.
Cœur d'autant plus ardent
que Nancy meurt de froid.
Quand vous montrez les dents
c'est pour rire aux éclats.

Si les grilles, autour,
sont signées Jean Lamour
quel est le sculpteur qui
vous a légué l'exquis
Stanislas Leczynski ?

Dès qu'un petit Lorrain
se morfond de chagrins
il prépare au chaudron
ses chères bergamotes,
ou, du four, escamote
de croquants macarons.

Nancy, tes fils célèbres
jadis t'ont honoré.
Entre église Saint-Epvre
et Porte de la Craffe
leurs noms viennent aux lèvres :

Façades au parafe
d'Emmanuel Héré,
clairs-obscurs, demi-jours
de Georges de La Tour,
eaux-fortes de Callot,

massacres et sanglots,
famines et misères
de ces Trente ans de guerre.
Au pinceau de Gellée,
ports, colonnes criblées

de lumière tremblée...
Enfants fiers de Nancy,
nous sommes sans souci.
Le Nancy de demain,
il est entre vos mains.

REIMS

Je te vois dans la pluie meulière
Reims royale, Reims ouvrière
Blasonnée de vigne et de lierre
Grande, belle, aux contours fiers
Cœur de la Champagne insulaire
Où les maisons sont dentellières
Où le vin fuse dans les verres
Où les oiseaux roulent la terre
Où les arbres font du vent vert
Où piscine et rues sont envers.

Porte de Mars, et du tonnerre,
Jeanne, ici, reprit sa prière
Dans la cathédrale hauturière.

Mais, si l'Ange au sourire acquiert
La connaissance séculaire
Montagne de Reims et barrière
Voient doucement changer l'hier :
Saint Remi tend son aumônière
Aux gens des tours, à la lisière
Des flonflons du jadis-naguère.
Canal, péniches, marinières
N'ont plus d'école buissonnière :
Une autoroute linéaire
Lacère la paix, la lumière
Le secret des roses trémières ;
La ville se fait fourmilière,
Limonadière, usufruitière,

Chasse les ombres tutélaires,
Rêve de trèfle et de bouvières
Sur la patinoire aux chimères
Puis s'endort en contrebandière
Lourde d'un secret dans sa pierre
À la limite traversière
Du temps des chasses fauconnières
Quand palais princiers et chaumières
Arraisonnaient la même terre
Blasonnée de vigne et de lierre
Sous le ciel gris-bleu du mystère.

L'ange au sourire,
cathédrale de Reims,
XIIIe siècle

MILLY
OU
LA TERRE NATALE

Pourquoi le prononcer ce nom de la patrie ?
Dans son brillant exil mon cœur en a frémi ;
Il résonne de loin dans mon âme attendrie,
Comme les pas connus ou la voix d'un ami.

Montagnes que voilait le brouillard de l'automne,
Vallons que tapissait le givre du matin,
Saules dont l'émondeur effeuillait la couronne,
Vieilles tours que le soir dorait dans le lointain,

Murs noircis par les ans, coteau, sentier rapide,
Fontaine où les pasteurs accroupis tour à tour
Attendaient goutte à goutte une eau rare et limpide,
Et, leur urne à la main, s'entretenaient du jour,

Chaumière où du foyer étincelait la flamme,
Toit que le pèlerin aimait à voir fumer,
Objets inanimés, avez-vous donc une âme
Qui s'attache à notre âme et la force d'aimer ?
...

Milly, 1849

PANORAMA D'AUVERGNE

...

Une vache, d'un front hardi brisant les branches,
Apparaît ; sa clochette a des sons de cristal ;
Le bois s'éclaire ; un pré verdoie ; et le Cantal,
Au fond de l'horizon, hausse ses cimes blanches.

Mur géant, où la neige a mis son badigeon,
Il fait songer à quelque énorme forteresse ;
Et le Puy-de-Griou, qui fièrement s'y dresse,
Conique et pointu, semble en être le donjon.

Au second plan, ce sont des champs creusés d'ornières ;
Des buttes, des hameaux dans chaque pli du sol,
Et des châteaux : Leybros, Cologne, Espinassol ;
C'est Vielles, gris et rouge, au flanc de ses marnières.

C'est le Mons, haut perché comme un nid de busard ;
Dans des feuillages d'or, au creux d'une colline,
Dont le penchant herbeux vers le Midi s'incline,
Messac se chauffe en plein soleil, comme un lézard.

Le vallon s'élargit : sous le saule et le vergne,
Le ruisseau d'Authre, clair et frais, court mollement,
Et transforme en un gai paysage normand,
Très vert et plantureux, ce petit coin d'Auvergne.

...

LA VISION DU GRAND CANAL ROYAL
DES DEUX-MERS

Envole-toi chanson, va dire au Roi de France
Mon rêve lumineux, ma suprême espérance !

Je chante, ô ma Patrie, en des vers doux et lents
La ceinture d'azur attachée à tes flancs,

Le liquide chemin de Bordeaux à Narbonne
Qu'abreuvent tour à tour et l'Aude et la Garonne.
...

*

Maintenant les canaux forment comme un lacis,
Comme un tapis brodé recouvrant le pays.

Et le Pays du vin vermeil, des moissons blondes,
La France, a dans son cœur le chemin des deux mondes.

Le liquide chemin, bleu, bordé d'arbres verts,
Que Riquet dut rêver et que chantent mes vers.

*

Les bons monstres de fer, excavateurs et dragues,
Firent ce fleuve où les deux mers joignent leurs vagues.

Et la terre livre du fond de ses replis
Des sous gaulois frappés d'un coq, frappés d'un lys.

Les sous gaulois qu'on trouve en Alsace, en Lorraine,
Remparts que monte à l'Est la France souveraine,

La France que le Rhin et ses grands peupliers
Limitent, fiers témoins des temps inoubliés.

Car le Rhin est gaulois, comme est gaulois le Rhône,
Comme est la Seine qui baigne les pieds du trône,

Comme est la Loire où Jeanne et ses guerriers géants
Chassèrent les Anglais au siège d'Orléans.

Comme est le bleu chemin dont l'univers s'étonne,
LE GRAND CANAL ROYAL DE BORDEAUX À NARBONNE.
...

Le canal de la Robine

JE VOIS BIEN, MA DORDOGNE...

Je vois bien, ma Dordogne, encore humble tu vas :
De te montrer gasconne, en France, tu as honte,
Si du ruisseau de Sorgue on fait ores grand compte,
Si a-t-il bien été quelquefois aussi bas.

Vois-tu le petit Loir, comme il hâte le pas ?
Comme déjà parmi les plus grands il se compte ?
Comme il marche hautain d'une course plus prompte
Tout à côté du Mince, et il ne s'en plaint pas ?

Un seul olivier d'Arne, enté au bord de Loire,
Le fait courir plus brave, et lui donne sa gloire.
Laisse, laisse-moi faire, et un jour, ma Dordogne,

Si je devine bien, on te connaîtra mieux ;
Et Garonne, et le Rhône, et ces autres grands dieux,
En auront quelque envie et possible vergogne.

LES PYRÉNÉES

...
Quelle est, dans ces grands rocs, cette large ouverture
Où mille combattants pourraient passer de front ?
    C'est le neveu de Charlemagne,
C'est le hardi Roland monté sur son coursier,
Qui d'un grand coup d'épée a fendu la montagne ;
    C'est là qu'en revenant d'Espagne
    Succomba le grand chevalier.
On dit qu'au sein des nuits le fantôme héroïque,
Sur un noir palefroi dont il presse le flanc,
Se montre à Roncevaux où vit sa gloire antique,
Et que les vieux échos d'une roche magique
Y murmurent encor la chanson de Roland.

Mort de Roland, miniature tirée des chroniques
et conquêtes de Charlemagne, XVᵉ siècle

CELUI QUI VOIT BRILLER CES ALPES...

Celui qui voit briller ces Alpes, d'où l'aurore,
Comme un aigle qui prend son vol du haut des monts,
D'une aile étincelante ouvre les cieux, et dore
       Les neiges de leurs fronts ;

Celui-là, l'œil frappé de ces hauteurs sublimes,
Croit que les monts glacés qu'il admire et qu'il fuit
Ne sont qu'affreux déserts, rochers, torrents, abîmes,
       Foudre, tempête et bruit.

« Mesurons-les de loin », dit-il. Mais si sa route
Le conduit jusqu'aux flancs d'où pendent leurs forêts,
S'il pénètre, au vain bruit de leurs eaux qu'il écoute,
       Dans leurs vallons secrets ;

Il y trouve, ravi, des solitudes vertes
Dont l'agneau broute en paix le tapis velouté,
Des vergers, pleins de dons, des chaumières ouvertes
       À l'hospitalité ;

Des sources sous le hêtre, ainsi que dans la plaine,
De frais ruisseaux dont l'œil aime à suivre les bonds,
De l'ombre, des rayons, des brises dont l'haleine
       Plie à peine les joncs ;

Des coteaux aux flancs d'or, de limpides vallées,
Et des lacs étoilés des feux du firmament,
Dont les vagues d'azur et de saphir mêlées
       Se bercent doucement.

Il entend ces doux bruits de voix qui se répondent,
De murmures du soir qui montent des hameaux,
De cloches des troupeaux, de chants qui se confondent
      Au son des chalumeaux.

Marchant sur des tapis d'herbe en fleur et de mousses :
« Ah ! dit-il, que ces lieux me gardent à jamais !
La nature a caché ses grâces les plus douces
      Sous ses plus hauts sommets. »

JURA FRANÇAIS DANS LE VENT
CE DIMANCHE MATIN

Le Jura plein de précipices me ferait songer aux enfers : ah ! quels damnés les sapins verts (du côté français et non suisse),

n'étaient partout les chansons denses de vos cloches à l'unisson, villages ; et puis c'est la France ! — et la France, dis-je, avec son

ciel que les clochers divinisent, tant ils sont hauts, clairs et nombreux, la France est un bouquet d'églises que les Français offrent à Dieu.

Clocher de l'église Sainte-Anatole,
Salins-les-Bains, XIIIᵉ siècle

JE TE SALUE PROVENCE...

Je te salue Provence ma jeunesse
lovée dans ton calcaire poivre et sel
Salut soleil qui n'est plus de détresse
Bonjour Alpilles aux cyprès de miel
dont le mistral piaffant défait les tresses

Maisons de terre cuite aux flammes de juillet
colline ouverte au cœur amer de ton genièvre
l'éther du romarin l'onguent des oliviers
réjouiront longtemps ma narine et mes lèvres
le cœur n'oubliera pas l'ivresse du laurier

D'autres générations d'affamés de lumière
iront interroger les pierres d'arc-en-ciel
d'autres Zani riront au miroir d'Aubanel
de vraies Laures découvriront à Sainte-Claire
les poètes marqués par les amours solaires

Pays de chèvres d'or de truffes et de nard
fontaine aux phosphores d'amour ô ma Provence
que d'autres troubadours que d'autres René Char
perpétuent inventeurs de chants de survivance
le tranchant de ton œil précis comme un poignard
...

LE GOLFE DU LION

Le Golfe du Lion
est piqué tout entier de balancelles roses
qui traînent des filets immenses ou qui posent
çà et là des nasses de fond.
C'est le printemps, la mer est tendre,
elle monte, elle va s'étendre
jusqu'aux îles du Rhône où vivent les taureaux,
puis sous les amandiers, les mûriers et les figues,
jusqu'à l'étang de Berre où le bleu de ses eaux
bat la colline des Martigues.

BREST VANTE SON BEAU PORT...

...
Brest vante son beau port et cette rade insigne
Où peuvent manœuvrer trois cents vaisseaux de ligne ;
Boulogne, sa cité haute et double, et Calais,
Sa citadelle assise en mer comme un palais ;
Dieppe a son vieux château soutenu par la dune,
Ses baigneuses cherchant la vague au clair de lune,
Et ses deux monts en vain par la mer insultés ;
Cherbourg a ses fanaux de bien loin consultés,
Et gronde en menaçant Guernsey la sentinelle
Debout près de Jersey, presqu'en France ainsi qu'elle.
Lorient, dans sa rade au mouillage inégal,
Reçoit la poudre d'or des noirs du Sénégal ;
Saint-Malo dans son port tranquillement regarde
Mille rochers debout qui lui servent de garde ;
Le Havre a pour parure ensemble et pour appui
Notre-Dame-de-Grâce et Honfleur devant lui ;
Bordeaux, de ses longs quais parés de maisons neuves,
Porte jusqu'à la mer ses vins sur deux grands fleuves ;
Toute ville à Marseille aurait droit d'envier
Sa ceinture de fruits, d'orange et d'oliviers ;
D'or et de fer Bayonne en tout temps fut prodigue,
Du grand Cardinal-Duc, La Rochelle a la digue :
Tous nos ports ont leur gloire ou leur luxe à nommer ;
Mais Toulon a lancé la « Sérieuse » en mer.
...

Raymond QUENEAU

CRIS DE PARIS

On n'entend plus guère le repasseur de couteaux
le réparateur de porcelaine le rempailleur de chaises
on n'entend plus guère que les radios qui bafouillent
des tourne-disques des transistors et des télés
ou bien encore le faible aye aye ouye ouye
que pousse un piéton écrasé

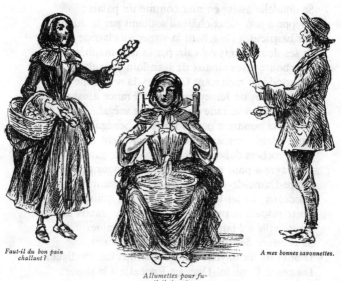

*Faut-il du bon pain
challant ?*

A mes bonnes savonnettes.

*Allumettes pour fu-
sil (briquet).*

IL ÉTAIT UNE FOIS...

Il était une fois ainsi la fin débute
Un Paris de remparts de trams et de pigeons
Où comme à Saint-Michel descendant l'Arpajon
De faux moulins feignaient de tourner sur la Butte

Il était une fois un Paris sans raison
Qui n'avait d'autre plan que celui des clochards
Gisants disséminés Rois tombés de leurs chars
Sur les bancs sur l'asphalte et le seuil des maisons

Les signaux vainement clignotaient par les places
Et dans la pleine lune ou dans le plein midi
Le pavé ressemblait à la main qui mendie
Le vent y décoiffait les chaises des terrasses

Personne n'était plus assis dans les cafés
Il pouvait aussi bien faire beau que pleuvoir
Un ciel de zinc ainsi qu'un drapeau de lavoir
Immobile au-dessus de ce conte de fées

Il était une fois mais c'est une autre histoire
Où l'on dormait debout dans la cour du Château
Paris se couche tard pour mieux se lever tôt
Les passants matinaux s'en vont par les trottoirs

Leur cœur est ce château frappé d'enchantement
Rien ne fait pressentir le secret qu'ils y portent
Et qu'il faudra cent ans que s'en rouvre la porte
Quelle heure est-il dira la Belle au Bois dormant

Cent ans c'est comme hier s'il n'y a plus de biche
Au Bois s'il n'y a plus même de Tuileries
Il était une fois il est toujours Paris
Comme un sourire au mur des anciennes affiches

QUAI DE BÉTHUNE

Connaissez-vous l'île
Au cœur de la ville
Où tout est tranquille
Eternellement

L'ombre souveraine
En silence y traîne
Comme une sirène
Avec son amant

La Seine profonde
Dans ses bras de blonde
Au milieu du monde
L'enserre en rêvant

Enfants fous et tendres
Ou flâneurs de cendres
Venez-y entendre
Comment meurt le vent

La nuit s'y allonge
Tout doucement ronge
Ses ongles ses songes
Tandis que chantant

Un air dans le noir
Est venu s'asseoir
Au fond des mémoires
Pour passer le temps

Et le vers qu'il scande
— L'amour qu'il demande
Le ciel le lui rende —
Bat comme le sang

Est-ce une fenêtre
Qui s'ouvre et peut-être
On va reconnaître
Au pas le passant

Est-ce Baudelaire
Ou Nerval un air
Qui jadis dut plaire
À d'anciens échos

Vienne le jour blême
Montrant qui l'on aime
Rendre son poème
À Francis Carco

Les gens

LES GENS DU PAYS

Lenormand Chaumeret Lacassaigne Joubert
Pelut Marois Martin Grosjean
Lachaume Legoupil Neuville Roy Bellair
Les gens les gens les gens les gens

Les gens et leurs soucis les gens et leurs malheurs
les gens du genre humain
les gens bien de chez nous les gens plutôt d'ailleurs
tous ces gens en chemin

Je vois des gens d'humeur variée Des très joyeux
des très furieux des qui s'en moquent
des gagne-gros des gagne-rien des gagne-peu
des qui disent Fichue époque

Jamais les gens ne sont pareils Ni les poètes
Ni la couleur du temps qui passe
Mais en chacun le même espoir brûle et s'entête
Quand aura-t-il fondu la glace ?

Claude ROY

PETIT PEUPLE DE PARIS

Ils n'iront plus au bois fagoter leur chauffage.
Ils n'iront plus couper la grappe ou la moisson.
Ils n'iront plus puiser au fleuve le cruchon
Pour attendrir le pain ou faire l'arrosage.

Ils ne tireront plus du fond de ce terrain
Qu'un malingre lilas ou l'aigreur d'un troène.
Leur voix ne sonne plus, aiguillonnant l'haleine
Des bœufs ou des chevaux dans le petit matin.

Ils n'iront plus aux champs : les champs sont faits de pierre.
Ils n'iront plus aux prés : reste à peine un jardin.
Ils n'iront plus au puits : l'eau tourne dans leur main.
Ils n'iront plus au guet, la nuit, dans la clairière.

Ce sont gens de chez nous, gens de petits moyens
Qui portent la campagne au fond de l'héritage
Et ne retrouvent plus la forme du village
Que durant quinze jours quand le congé revient.

Ce sont gens retenus dans l'étoile aux six branches
Où Lutèce a fixé le destin du pays,
Oiseaux vifs, persifleurs, haut juchés dans leur nid
Qu'ils quittent à regret trois ou quatre dimanches.

Ce sont gens de ressource et de simplicité
Qui soupèsent des yeux le poids changeant des êtres,
Ce sont gens de Paris qu'on voudrait mieux connaître,
Que l'on garde un instant quand on les a quittés.

« PIÉTONS DE PARIS »

Est-ce Léon-Paul Fargue ou Verlaine ou Paul Fort ?
Maint piéton de Paris hante comme eux le songe.
Un vivant qui passait soudainement s'allonge :
Vous voici, Jean Follain, étendu dans la mort.
Chaque ami qui s'en va de la main vous appelle.
Elle est sombre, cette eau, mais elle est fraternelle
Même si tout là-bas c'est l'inconnu du port.

Nerval rôde la nuit Place du Châtelet.
Victor Hugo, Place des Vosges, se promène.
Jean Racine, est-ce vous ? Est-ce vous, La Fontaine ?
Ninon s'accroche au bras de ce dandy : Musset.
Ici Francis Carco rêve au bord de la pluie.
Non loin Félix d'Arvers que la mémoire oublie
Se souvient de l'amour chanté par un sonnet.

Empruntant aujourd'hui le rythme de lenteur
Qu'imposent aux autos les longs embouteillages
Je suis, le long des quais, l'écoulement des âges.
D'une foule confuse émerge un voyageur
Qui se nomme Villon, Chénier ou Baudelaire.
La courbe de la Seine est celle d'une artère
Où circule le sang propulsé par le cœur.

LES VIEILLES DE CHEZ NOUS

Les vieilles de notre pays
Ne sont pas des vieilles moroses ;
Elles portent des bonnets roses,
Des fichus couleur de maïs,
Les vieilles de notre pays.

Elles s'en vont tout doucement,
Les jours où le soleil fait fête,
En remuant un peu la tête,
S'arrêtant à chaque moment,
Elles s'en vont tout doucement.

En riant derrière la main
Elles se disent à l'oreille
Les riens qu'elles ont dits la veille
Et rediront le lendemain,
En riant derrière la main.

Elles médisent bien un peu,
Mais si peu que c'est ne rien dire,
Car il faut bien parler et rire
Les soirs d'hiver, au coin du feu...
Elles médisent bien un peu.

Elles iront en paradis,
Car elles ne manquent pas messe
Et sont fidèles à confesse
Depuis les galants de jadis.
Elles iront en paradis.

La bonne Vierge et le Bon Dieu
Qu'elles ont tant priés sur terre,
Leur feront la mort bien légère
Et bien court le dernier adieu,
La bonne Vierge et le Bon Dieu.

Les vieilles de notre pays
Ne sont pas des vieilles moroses,
Elles portent des bonnets roses,
Des fichus couleur de maïs,
Les vieilles de notre pays.

LA BELLE

Sur les bords de la Loire, en ce petit matin,
La belle s'est perdue au fond de mon jardin,
    Perdue, comme un charmant fantôme.
L'herbe frissonne encore de sa fragile empreinte.
On devine là-bas une cloche qui tinte,
    Orléans, Beaugency, Vendôme.

Matelots de la Loire, accortes Tourangelles,
Elle nous a laissé ce vol de tourterelles
    Tournant sur les jardins d'mon père,
Et ces airs d'autrefois que les Maîtres-sonneurs
Du Berry ou d'ailleurs jouaient en son honneur
    Sous le grand chêne du mystère.

C'est elle qui passait dans les rues de Paris
Et qui chantait : Marchands d'habits, marchands d'oublis,
    Du mouron pour les p'tits oiseaux !
C'est elle qui chantait avec le vitrier,
Le vendeur d'ortolans, l'écrivain de quartier,
    Le mendiant et le porteur d'eau.

C'est elle qui pleurait au bord de la fontaine
Et qui fut consolée par les trois capitaines,
    Sur la grand-route de Dijon.
Elle fut châtelaine au château de Pouzauges,
Elle fut prisonnière en la tour de Tiffauges
    Et montait le soir au donjon.

Ne pleure pas, Jeannette, elle nous a laissé
Un écho de sa voix. Et jamais n'a cessé,
    Hiver, printemps, été, automne,
Sur les bords de la Loire, au fond de mon jardin,
Cet air mystérieux, ce tendre et doux refrain,
    Cette chanson que je te donne.

Une fille des bords de la Loire

Jean-Luc MOREAU

RUE DES CORDELIÈRES

À Paris, rue des Cordelières,
Les écoliers, les écolières

Vont, le cartable en bandoulière,
Affronter l'algèbre et Molière,

Et leur cœur est une volière
Où mille chansons familières

Font une rumeur singulière
À Paris, rue des Cordelières.

José Maria de HEREDIA

MARIS STELLA

Sous les coiffes de lin, toutes, croisant leurs bras
Vêtus de laine rude ou de mince percale,
Les femmes, à genoux sur le roc de la cale,
Regardent l'Océan blanchir l'île de Batz.

Les hommes, pères, fils, maris, amants, là-bas,
Avec ceux de Paimpol, d'Audierne et de Cancale,
Vers le Nord, sont partis pour la lointaine escale.
Que de hardis pêcheurs qui ne reviendront pas !

Par-dessus la rumeur de la mer et des côtes
Le chant plaintif s'élève, invoquant à voix hautes
L'Étoile sainte, espoir des marins en péril ;

Et l'Angélus, courbant tous ces fronts noirs de hâle,
Des clochers de Roscoff à ceux de Sybiril
S'envole, tinte et meurt dans le ciel rose et pâle.

Le Porche des Disparus

L'HORLOGER, PÂLE ET FIN...

L'horloger, pâle et fin, travaille avec douceur ;
Vagues, le seuil béant, somnolent les boutiques ;
Et d'un trottoir à l'autre ainsi qu'aux temps antiques
Les saluts du matin échangent leur candeur.

Panonceaux du notaire et plaque du docteur...
À la fontaine un gars fait boire ses bourriques ;
Et vers le catéchisme en files symétriques
Des petits enfants vont, conduits par une sœur.

Un rayon de soleil dardé comme une flèche
Fait tout à coup chanter une voix claire et fraîche
Dans la ruelle obscure ainsi qu'un corridor.

De la montagne il sort des ruisselets en foule,
Et partout c'est un bruit d'eau vive qui s'écoule
De l'aube au front d'argent jusqu'au soir aux yeux d'or.

Bernard LORRAINE

LES ENFANTS DU NORD

Les voici les garçons du Nord,
les fils de la Métallurgie,
petits gars du feu, de l'effort,
du brouillard froid, de l'énergie,
des suies rincées par le grésil
pour le meilleur et pour le pire
entre un crassier et un terril
avec de francs éclats de rire.

Les voilà les filles du Nord
aux yeux délavés de magie,
folles de cœur, sages de corps,
couvant une âme à nostalgies.
Filles aux cheveux de houblon
qui pleurent comme Madeleine
sur l'épaule carrée d'un blond
à l'heure où s'enrouent les sirènes.

Sur les herbages,
des ciels gris-beige...
Le Nord, s'il bouge,
fait du grabuge.

Ils sont là, les enfants du Nord,
de textile en sidérurgie,
du pays noir qui se dévore
aux feux de sa mythologie.
Enfants des plaines embrumées,
du travail dur de l'industrie,
des pluies, des bises, des fumées
sur les girouettes qui crient.

LE HUGUENOT

La corde, le bûcher, le fagot, la potence,
La flamme cauteleuse et le chanvre retors
Ont guetté, tour à tour, les os de son vieux corps
Que balafra la dague et coutura la lance ;

Et le voici, debout dans sa longue espérance ;
Avec l'âge qui vient il sent venir le port
Car sa gorge a chanté au péril de la mort
Les Psaumes de David dans la langue de France.

Fidèle à l'âpre Dieu que l'on enseigne au prêche,
Un sourire d'orgueil crispe sa lèvre sèche
De huguenot têtu et de bon gentilhomme

Qui pouvait s'enrichir à la cour, s'il n'eût pas,
Par dégoût du fumier des étables de Rome,
Tiré le maigre pis de la vache à Colas.

Huguenots français débarquant à Douvres
après la Révocation de l'Édit de Nantes

L'AMATEUR

En son calme manoir entre la Tille et l'Ouche,
Au pays de Bourgogne où la vigne fleurit,
Tranquille, il a vécu comme un raisin mûrit.
Le vin coula pour lui du goulot qu'on débouche.

Ami de la nature et friand de sa bouche,
Il courtisa la Muse et laissa, par écrit,
Poèmes, madrigaux, épîtres, pot-pourri,
Et parchemins poudreux où s'attestait sa souche.

En perruque de crin, par la rue, à Dijon,
S'il marchait, appuyé sur sa canne de jonc,
Les Élus de la Ville et les Parlementaires

Saluaient de fort loin Monsieur le Chevalier,
Moins pour son nom, ses champs, sa vigne et son hallier
Que pour avoir reçu trois lettres de Voltaire.

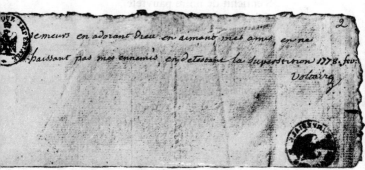

Dernières pensées de Voltaire mourant, 1778

LA COMPLAINTE
DES TISSEUSES DE SOIE

...
Toujours draps de soie tisserons,
Jamais n'en serons mieux vêtues.
Toujours serons pauvres et nues,
Et toujours faim et soif aurons.
Jamais tant ne saurons gagner
Que mieux en ayons à manger.
Du pain avons à grand danger,
Au matin peu et au soir moins.
Jamais de l'œuvre de nos mains
N'aura chacune pour son vivre
Que quatre deniers de la livre.
Et de cela ne pouvons pas
Avoir assez viande et draps.
Car qui gagne dans la semaine
Vingt sous, il n'est pas hors de peine.
Et sachez-le vraiment vous tous
Qu'il n'y a celle d'entre nous
Qui ne gagne au plus ses vingt sous :
De cela, serait riche un duc !
Et nous sommes en grand misère ;
S'enrichit de notre pauvreté
Celui pour qui nous travaillons.
Des nuits, grand partie nous veillons,
Et tout le jour pour y gagner ;
On nous menace de frapper
Nos membres, quand nous reposons,
Et pour ce, reposer n'osons.
...

(XIIᵉ siècle).

André THEURIET

LES PAYSANS

Le village s'éveille à la corne du pâtre,
Les bêtes et les gens sortent de leurs logis ;
On les voit cheminer sous le brouillard bleuâtre,
Dans le frisson mouillé des alisiers rougis.

Par les sentiers pierreux et les branches froissées,
Coupeurs de bois, faucheurs de foin, semeurs de blé,
Ruminant lourdement de confuses pensées,
Marchent, le front courbé sur leur poitrail hâlé.

La besogne des champs est rude et solitaire.
De la blancheur de l'aube à l'obscure lueur
Du soir tombant, il faut se battre avec la terre
Et laisser sur chaque herbe un peu de sa sueur.

Paysans, race antique à la glèbe asservie,
Le soleil cuit vos reins, le froid tord vos genoux ;
Pourtant si l'on pouvait recommencer sa vie,
Frères, je voudrais naître et grandir parmi vous !

Pétri de votre sang, nourri dans un village,
Respirant des odeurs d'étable et de fenil,
Et courant en plein air comme un poulain sauvage
Qui se vautre et bondit dans les pousses d'avril,

J'aurais en moi peut-être alors assez de sève,
Assez de flamme au cœur et d'énergie au corps,
Pour chanter dignement le monde qui s'élève
Et dont vous serez, vous, les maîtres durs et forts.

Car votre règne arrive, ô paysans de France ;
Le penseur voit monter vos flots lointains encor,
Comme on voit s'éveiller dans une plaine immense
L'ondulation calme et lente des blés d'or.

...

Pierre DUPONT

LE CHANT DES OUVRIERS

Nous dont la lampe le matin,
Au clairon du coq se rallume,
Nous tous qu'un labeur incertain
Ramène avant l'aube à l'enclume,
Nous qui des bras, des pieds, des mains,
De tout le corps luttons sans cesse,
Sans abriter nos lendemains,
Contre le froid et la vieillesse,
Aimons-nous, et quand nous pouvons
Nous unir pour boire à la ronde,
Que le canon se taise ou gronde,

Refrain :
Buvons, buvons, buvons,
À l'indépendance du monde !

Nos bras, sans relâche tendus,
Aux flots jaloux, au sol avare,
Ravissent leurs trésors perdus,
Ce qui nourrit et ce qui pare :
Perles, diamants et métaux,
Fruits du coteau, grains de la plaine ;
Pauvres moutons, quels bons manteaux
Il se tisse avec votre laine !
(au refrain)

Quel fruit tirons-nous des labeurs
Qui courbent nos maigres échines ?
Où vont les flots de nos sueurs ?
Nous ne sommes que des machines.
Nos Babel montent jusqu'au ciel ;
La terre nous doit ses merveilles :
Dès qu'elles ont fini le miel,
Le maître chasse les abeilles.
(au refrain)

74

Au fils chétif d'un étranger,
Nos femmes tendent leurs mamelles,
Et lui, plus tard, croit déroger
En daignant s'asseoir auprès d'elles ;
De nos jours, le droit du seigneur
Pèse sur nous plus despotique :
Nos filles vendent leur honneur
Aux derniers courtauds de boutiques.
(au refrain)

Mal vêtus, logés dans des trous
Sous les combles, dans les décombres,
Nous vivons avec les hiboux
Et les larrons, amis des ombres ;
Cependant notre sang vermeil
Coule impétueux dans nos veines ;
Nous nous plairions au grand soleil
Et sous les rameaux verts des chênes.
(au refrain)

À chaque fois que par torrents
Notre sang coule sur le monde,
C'est toujours pour quelque tyran
Que cette rosée est féconde ;
Ménageons-le dorénavant,
L'amour est plus fort que la guerre ;
En attendant qu'un meilleur vent
Souffle du ciel ou de la terre.
(au refrain)

Pierre GAMARRA

CHANSON DE CELLE QUI ATTEND

En quarante-deux, il s'en est allé...
Si je vous le dis, si je le raconte,
c'est que la lune danse dans les blés...
Mon cœur est en fer, mon cœur est en fonte.

Il ne m'écrivit que quelques vieux mots,
je me souviens bien, je pleurai mes larmes...
— Nous avons bien froid, nous n'avons pas d'armes —
Écoutez ce vent dans tous ces rameaux.

— Nous nous marierons la saison prochaine,
quand il fera chaud, quand il fera doux —
Il n'avait pas peur des vents et des loups.
Mon cœur est en lin, mon cœur est en laine.

Les vieux regardaient chaque jour le ciel
et puis il neigeait des neiges, la neige
et je me disais : Que Dieu le protège !
Mon cœur est en sang, mon cœur est de miel.

On dit qu'il est mort, on dit tant de choses...
Après un hiver revient le printemps.
Écoutez les cris qui sont dans les vents
par les nuits venues et les portes closes.

Ils me l'ont volé, ils m'ont pris ses mains,
ils m'ont pris ses yeux, je ne peux pas dire...
Ils m'ont pris sa chair, sa bouche et son rire
mais j'attends ses pas sur tous les chemins.

FAITS DIVERS

(Haisnes-la-Bassée)

J'entends crier
Pas la sirène du malheur
Hurlant à mort sur les corons,
Pas les brûlés, les éventrés,
Les martyrs de la poudrerie.
J'entends crier.
On crie.
C'est le mari d'Yvonne
Épousée depuis trois semaines :
« On était heureux, trop heureux ! »
J'entends crier.

Des corps s'en vont
Sur des échelles.
Un bras, une main, reconnus
Hors de leur linceul en carton.
Ce corps d'oiseau, c'est Apolline.
Les corps s'en vont.

— On n'en finit pas de mourir.
C'est pour la guerre
Ou les patrons.

CHER PEUPLE

Ô cher peuple, entends ces bavards :
Ils t'ont depuis peu découvert
À la lueur de l'incendie
Et te décernent un amour
Et une grandeur mesurés
À la longueur de ton martyre.

Ce n'est pas t'admirer que je puis, douloureux, frère ;
Ma voix n'est pas la voix qui chantera tes plaies,
Tes râles, ton supplice, et le charnier honteux.
J'ai pitié des troupeaux arrachés aux prairies
Qui entrent dans la ville, harcelés par les chiens,
Les yeux hagards de peur, de faim et de fatigue
Et se bousculent vers la mort ;
Mais je ne saurais pas les accoutrer de gloire.

Frère, hélas ! je n'avais pas besoin pour t'aimer
De te voir étendu saignant et mutilé.

Je n'ai pas eu besoin d'attendre que tu sois
Un pauvre mort jeté la face dans la boue
Pour te louer, mon frère, et me louer de toi.

LE BANQUET

Les gens sérieux se sont réunis autour d'une table :
c'est le banquet du certificat d'études.
Il y a tous les instituteurs du canton,
en cravates, en vestons, en chemises empesées.
On discute des écueils de la dictée :
« Enivrer fut mal prononcé,
dit un directeur en vidant son verre ;
repassez-moi la galantine, s'il vous plaît ! »
« Et thésauriser, c'est bien difficile ! »
fait un petit maigre au col élimé.
Tout le monde parle à la fois,
les visages rougissent,
les vitres se couvrent de buée.
Et dehors, sur les trottoirs, courent des enfants
qui ont fait des fautes en écrivant :
« tes os risée » et « Annie, vrai »
mais qui vont sans perdre de temps
retrouver les bords de la Seine,
les berges calmes et feuillues
où l'on entend clapoter l'eau
sans être vu,
où l'on s'enivre en mâchant les graminées
les yeux au ciel,
où l'on thésaurise les branches des sureaux
dans la moelle desquelles
on creusera lentement des sifflets...

LES ANONYMES

Vous n'avez pas de nom, mes frères disparus.
Vous n'avez plus de nom. Marbre ou papier, le temps
A tout rongé de vous. Ceux qui vous ont connus,
Ceux qui vous ont aimés, sont partis, emportant
À leur tour le secret d'un regard, d'un visage
Qui gardait en ses yeux le reflet d'autrefois.
Et pourtant votre appel surgi du fond des âges
      Est venu jusqu'à moi.

Je ne sais rien de vous. Mais vous vivez plus fort
Que tous ces décorés qui battaient du tambour,
Qui signaient des traités, qui poussaient à la mort
Des millions d'inconnus, qui les sacrifiaient pour
Que leur nom, leurs putains, leur gloire, leur vérole,
Leurs exploits, leurs bâtards, les chefs de leurs tribus
Soient récités par les enfants de nos écoles
      Et baptisent nos rues.

Le monde vit de vous. Votre empreinte est partout :
La terre mille fois tournée et travaillée,
La graine réservée, l'arbre planté pour nous,
La rivière adoucie, le béton et l'acier,
La source qui jaillit, la lumière qui gagne,
La chaleur d'une main sur le bois de l'outil,
En nous, ce chant secret partout nous accompagne,
      Par-dessus tout, la vie.

Jacques CHARPENTREAU

Vos visages, vos noms, ils sont la terre, ils sont
Le ciel, ils sont l'oiseau. Vous nous avez rejoints.
La poussière et l'élan. Les mots et la chanson.
Chair vivante du monde, inlassables témoins,
Comme l'Esprit, déjà vous êtes tous en tout.
Ce cœur qui bat, marquant les rythmes et les rimes,
C'est votre cœur en moi qui témoigne pour vous,
     Mes frères anonymes.

Présences du passé

CHANSON DU HANNETON

Hanneton, vole, vole, vole. Dagobert est à l'école. Il a vaincu la Neustrie. Qu'il fait doux sur la prairie !

Hanneton vole, vole, vole. Charlemagne est à l'école. Il s'y fait sacrer romain. On aura congé demain.

Hanneton vole, vole, vole. Jeanne d'Arc est à l'école. Elle grimpe sur un bûcher. On grimpera sur les pêchers.

Hanneton vole, vole, vole. Henri IV est à l'école. Il y met la poule au pot. Nous jouerons à cul-mariot.

Hanneton vole, vole, vole. Louis XIV est à l'école. Il bat Montecuculli. Nous ferons la guerre aussi.

Hanneton vole, vole, vole. Bonaparte est à l'école. Il y passe le pont d'Arcole. Aux drapeaux ! les papillons !

Hanneton vole, vole, vole. M'sieur Lebrun est à l'école. Il supprime tous les pensums. Gare à la glu, les pinsons !

Hanneton vole, vole, vole. Toute la France est à l'école. On y est républicain et dehors on est quelqu'un.

Paul FORT

- Henri IV chez le meunier, par Brichot

LES NAÏVETÉS ARDENTES

...
Pâté d'encre bleuet ! et rouge remontrance !
Jamais je n'oublierai les cahiers de l'enfance
Où ma main se forma, non plus que les bons points
Sur qui, la bouche en rond entre mes bouts de poings,
Je rêvais de voiliers aux vergues parfumées.
Ô le doigt de velours sur les taches gommées !
Le sang violet court sur ma page d'actions.
C'est toi, début du monde, oiseau des rédactions...
Et, dans la cour plantée en carré de vieux hêtres,
Les voix abécédant s'envolent des fenêtres.
Parfois, de chez les grands, une maturité
— Algèbre ! — nous parvient avec autorité ;
Ils parlent d'inconnue en termes de mystère.
Moi, je suis un moyen du Cours Élémentaire !
Je sais les quatre opérations, la Rose aux Vents,
Le triangle isocèle et le cercle savants,
Et quelques brins de fable. Ô formules apprises
Par cœur ! Et le Dessin, natures mortes, frises !
« Voilà Clotilde blanche à Clovis, — tous les Francs !
« Voici l'Amour ailé frissonner dans les rangs.
« Je miraculerai Paris pour Geneviève ;
« J'offrirai ma leçon aux drapiers de Lodève ;
« J'invite la Colombe à fleurir en plein vol,
« Le moulin de Valmy d'un jaune tournesol
« À moudre le froment des Révolutionnaires.
« Je suis esclave, alors j'ai des droits visionnaires !
« Je me vois aperçu d'un château, troubadour ;
« Je gémis sur Jésus en croix au carrefour ;

« J'entends les saintes voix de Jeanne aux bergeries ;
« Mais les veneurs du Roi jappent aux jacqueries !
« J'exècre les seigneurs tous à courre le cerf,
« Au mépris des moissons besogneuses du serf.
« Mon histoire de France est un roman de larmes.
« Partisan des douceurs je caresse mes armes
« Et les voudrais au repos infini. — Je meurs
« Ou je vaincs. — *La Patrie en danger* : plus de peurs !
« Ô Mort ! pour te fixer on retient sa paupière.
« Le fer de Durandal pourfend les cœurs de pierre.
« Ô plaie à mon côté, source de sang et d'eau,
« De la Croix ou de moi, qui sera le fardeau ?
« Ma patrie abîmée a tôt su me convaincre
« De me faire un devoir d'espérer pour survaincre. »
Et nous allions, dans les jours neufs, le front barré
D'encre, nous aguerrir, l'œil encore effaré
De la leçon, gamins gagnés aux Droits de l'homme
Et du citoyen, fiers de nous conduire comme
Ces héros que le coq de France réveilla
Pour démonter la nuit. Ô mes juvenilia !
On coupait un drapeau dans la toile vétuste.
Chacun à gros poumons se forgeait un cœur juste,
Le feu brûlait d'amour pour les métiers vivants.
Et j'avançais, oiseau-victoire, à contre-vents.

...

Tapisserie de la Reine Mathilde

DAGOBERT

Par deux fois le roi Dagobert
A mis sa culotte à l'envers...

À la seconde le bon roi
Avait sa culotte à l'endroit.

Tombeau dit de Dagobert,
église Saint-Denis

LE BON ROI DAGOBERT

Le bon roi Dagobert
Avait mis sa culotte à l'envers.
Le grand saint Éloi
Lui dit : « — Ô mon Roi,
Votre Majesté est mal culottée !
— C'est vrai, lui dit le Roi,
Je vais la remettre à l'endroit.

chanson traditionnelle

LA PUCELLE

Quand déjà pétillait et flambait le bûcher,
Jeanne qu'assourdissait le chant brutal des prêtres,
Sous tous ces yeux dardés de toutes ces fenêtres
Sentit frémir sa chair et son âme broncher.

Et semblable aux agneaux que revend au boucher
Le pâtour qui s'en va sifflant des airs champêtres,
Elle considéra les choses et les êtres
Et trouva son seigneur bien ingrat et léger.

« C'est mal, gentil Bâtard, doux Charles, bon Xaintrailles,
De laisser les Anglais faire ces funérailles
À qui leur fit lever le siège d'Orléans. »

Et la Lorraine, au seul penser de cette injure,
Tandis que l'étreignait la mort des mécréants,
Las ! pleura comme eût fait une autre créature.

Jehanne
La pucelle

Le plus ancien
portrait de
Jeanne d'Arc,
d'après une
miniature de
1451

ADIEUX DE JEANNE D'ARC À LA MEUSE

Adieu, Meuse endormeuse et douce à mon enfance,
Qui demeures aux prés, où tu coules tout bas.
Meuse, adieu : j'ai déjà commencé ma partance
En des pays nouveaux où tu ne coules pas.

Voici que je m'en vais en des pays nouveaux :
Je ferai la bataille et passerai des fleuves ;
Je m'en vais m'essayer à de nouveaux travaux,
Je m'en vais commencer là-bas les tâches neuves.
Et pendant ce temps-là, Meuse ignorante et douce,
Tu couleras toujours, passante accoutumée,
Dans la vallée heureuse où l'herbe vive pousse,

Ô Meuse inépuisable et que j'avais aimée.

(Un silence.)

Tu couleras toujours dans l'heureuse vallée ;
Où tu coulais hier, tu couleras demain.
Tu ne sauras jamais la bergère en allée,
Qui s'amusait, enfant, à creuser de sa main
Des canaux dans la terre, — à jamais écroulés.

La bergère s'en va, délaissant ses moutons,
Et la fileuse va, délaissant les fuseaux.
Voici que je m'en vais loin de tes bonnes eaux,
Voici que je m'en vais bien loin de nos maisons.
Meuse qui ne sais rien de la souffrance humaine,
Ô Meuse inaltérable et douce à toute enfance,

Ô toi qui ne sais pas l'émoi de la partance,
Toi qui passes toujours et qui ne pars jamais,
Ô toi qui ne sais rien de nos mensonges faux,

Charles PÉGUY

Ô Meuse inaltérable, ô Meuse que j'aimais,

(Un silence.)

Quand reviendrai-je ici filer encor la laine ?
Quand verrai-je tes flots qui passent par chez nous ?
Quand nous reverrons-nous ? et nous reverrons-nous ?

Meuse que j'aime encore, ô ma Meuse que j'aime.

(Un assez long silence.
Elle va voir si son oncle revient.)

Ô maison de mon père où j'ai filé la laine,
Où, les longs soirs d'hiver, assise au coin du feu,
J'écoutais les chansons de la vieille Lorraine,
Le temps est arrivé que je vous dise adieu.

Tous les soirs passagère en des maisons nouvelles,
J'entendrai des chansons que je ne saurai pas ;
Tous les soirs, au sortir des batailles nouvelles,
J'irai dans des maisons que je ne saurai pas.

François COPPÉE

LE FILS DE LOUIS XI

Sur le balcon de fer du noir donjon de Loches,
Monseigneur le dauphin Charles de France, en deuil,
Dominant la Touraine immense d'un coup d'œil,
Écoute dans le soir mourir le son des cloches.

L'enfant captif envie, humble cœur sans orgueil,
Ceux qu'il voit revenir des champs, portant leurs pioches,
Et, flairant l'âcre odeur des potences trop proches,
Songe à l'archer d'Écosse immobile à son seuil.

L'enfant prince a douze ans et ne sait pas encore
Combien fiers sont les lys du blason qui décore
L'ogive sous laquelle il rêve, pâle et seul.

Il ignore Dunois, Xaintrailles et La Hire,
Et la Pucelle, et son victorieux aïeul.
Monseigneur le dauphin Charles ne sait pas lire.

Au temps de Charles IX

JE VEUX PEINDRE LA FRANCE...

...

Je veux peindre la France une mère affligée,
Qui est, entre ses bras, de deux enfants chargée.
Le plus fort, orgueilleux, empoigne les deux bouts
Des tétins nourriciers ; puis, à force de coups
D'ongles, de poings, de pieds, il brise le partage
Dont nature donnait à son besson l'usage ;
Ce voleur acharné, cet Esau malheureux,
Fait dégât du doux lait qui doit nourrir les deux,
Si que, pour arracher à son frère la vie,
Il méprise la sienne et n'en a plus d'envie.
Mais son Jacob, pressé d'avoir jeûné meshui*,
Ayant dompté longtemps en son cœur son ennui,
À la fin se défend, et sa juste colère
Rend à l'autre un combat dont le champ est la mère.
Ni les soupirs ardents, les pitoyables cris,
Ni les pleurs réchauffés ne calment leurs esprits ;
Mais leur rage les guide et leur poison les trouble,
Si bien que leur courroux par leurs coups se redouble.
Leur conflit se rallume et fait si furieux
Que d'un gauche malheur ils se crèvent les yeux.

...

* Aujourd'hui.

DISCOURS À LA REINE
CATHERINE DE MÉDICIS

...

Las ! Madame, en ce temps que le cruel orage
Menace les Français d'un si piteux naufrage,
Que la grêle et la pluie, et la fureur des Cieux
Ont irrité la mer de vents séditieux,
Et que l'Astre Jumeau ne daigne plus reluire,
Prenez le gouvernail de ce pauvre navire,
Et malgré la tempête, et le cruel effort
De la mer et des vents, conduisez-le à bon port.
La France à jointes mains vous en prie et reprie,
Las ! qui sera bientôt et proie et moquerie
Des Princes étrangers, s'il ne vous plaît en bref
Par votre autorité d'apaiser son méchef.
Ha ! que diront là-bas sous les tombes poudreuses
De tant de vaillants rois les armes généreuses ?
Que dira Pharamond, Clodion, et Clovis !
Nos Pépins ! nos Martels ! nos Charles, nos Louis ;
Qui de leur propre sang à tous périls de guerre
Ont acquis à leurs fils une si belle terre ?
Que diront tant de Ducs et tant d'hommes guerriers
Qui sont morts d'une plaie au combat les premiers,
Et pour France ont souffert tant de labeurs extrêmes,
La voyant aujourd'hui détruire par soi-même ?
Ils se repentiront d'avoir tant travaillé,
Assailli, défendu, guerroyé, bataillé,
Pour un peuple mutin divisé de courage,
Qui perd en se jouant un si bel héritage.
...

SAGESSE D'UN LOUIS RACINE...

Sagesse d'un Louis Racine, je t'envie !
Ô n'avoir pas suivi les leçons de Rollin,
N'être pas né dans le grand siècle à son déclin,
Quand le soleil couchant, si beau, dorait la vie,

Quand Maintenon jetait sur la France ravie
L'ombre douce et la paix de ses coiffes de lin,
Et, royale, abritait la veuve et l'orphelin,
Quand l'étude de la prière était suivie,

Quand poète et docteur, simplement, bonnement,
Communiaient avec des ferveurs de novices,
Humbles servaient la Messe et chantaient aux offices,

Et, le printemps venu, prenaient un soin charmant
D'aller dans les Auteuils cueillir lilas et roses
En louant Dieu, comme Garo, de toutes choses !

LE FORGERON

Palais des Tuileries, vers le 10 août 1792

Le bras sur un marteau gigantesque, effrayant
D'ivresse et de grandeur, le front vaste, riant
Comme un clairon d'airain, avec toute sa bouche,
Et prenant ce gros-là dans son regard farouche,
Le Forgeron parlait à Louis Seize, un jour
Que le Peuple était là, se tordant tout autour,
Et sur les lambris d'or traînant sa veste sale.

Or le bon roi, debout sur son ventre, était pâle,
Pâle comme un vaincu qu'on prend pour le gibet,
Et, soumis comme un chien, jamais ne regimbait,
Car ce maraud de forge aux énormes épaules
Lui disait de vieux mots et des choses si drôles,
Que cela l'empoignait au front, comme cela !

« Or, tu sais bien, Monsieur, nous chantions tra la la
Et nous piquions les bœufs vers les sillons des autres :
Le Chanoine au soleil filait des patenôtres
Sur des chapelets clairs grenés de pièces d'or.
Le Seigneur, à cheval, passait, sonnant du cor,
Et l'un avec la hart, l'autre avec la cravache,
Nous fouaillaient. — Hébétés comme des yeux de vache,
Nos yeux ne pleuraient plus ; nous allions, nous allions,
Et quand nous avions mis le pays en sillons,
Quand nous avions laissé dans cette terre noire
Un peu de notre chair... nous avions un pourboire :
On nous faisait flamber nos taudis dans la nuit ;
Nos petits y faisaient un gâteau fort bien cuit.

... « Oh ! je ne me plains pas. Je te dis mes bêtises,
C'est entre nous. J'admets que tu me contredises.
Or, n'est-ce pas joyeux de voir, au mois de juin,
Dans les granges entrer des voitures de foin
Énormes ? De sentir l'odeur de ce qui pousse,
Des vergers quand il pleut un peu, de l'herbe rousse ?
De voir des blés, des blés, des épis pleins de grain,
De penser que cela prépare bien du pain ?...
Oh ! plus fort, on irait, au fourneau qui s'allume,
Chanter joyeusement en martelant l'enclume,
Si l'on était certain de pouvoir prendre un peu,
Étant homme, à la fin ! de ce que donne Dieu !
— Mais voilà c'est toujours la même vieille histoire !...

« Mais je sais, maintenant ! Moi, je ne peux plus croire,
Quand j'ai deux bonnes mains, mon front et mon marteau,
Qu'un homme vienne là, dague sur le manteau,
Et me dise : Mon gars, ensemence ma terre ;
Que l'on arrive encor, quand ce serait la guerre,
Me prendre mon garçon, comme cela, chez moi !
— Moi, je serais un homme, et toi, tu serais roi,
Tu me dirais : Je veux !... — Tu vois bien, c'est stupide.
Tu crois que j'aime voir ta baraque splendide,
Tes officiers dorés, tes mille chenapans,
Tes palsembleu bâtards tournant comme des paons :
Ils ont rempli ton nid de l'odeur de nos filles
Et de petits billets pour nous mettre aux Bastilles,
Et nous dirions : C'est bien : les pauvres, à genoux !
Nous dorerons ton Louvre en donnant nos gros sous !
Et tu te soûleras, tu feras belle fête,
— Et ces Messieurs riront, les reins sur notre tête !

« Non. Ces saletés-là datent de nos papas !
Oh ! le Peuple n'est plus une putain. Trois pas
Et, tous, nous avons mis ta Bastille en poussière.
Cette bête suait du sang à chaque pierre
Et c'était dégoûtant, la Bastille debout
Avec ses murs lépreux qui nous racontaient tout
Et, toujours, nous tenaient enfermés dans leur ombre !
— Citoyen ! citoyen ! c'était le passé sombre
Qui croulait, qui râlait quand nous prîmes la tour !
Nous avions quelque chose au cœur comme l'amour. »
...

— Il reprit son marteau sur l'épaule.

                                        La foule
Près de cet homme-là se sentait l'âme soûle,
Et, dans la grande cour, dans les appartements,
Où Paris haletait avec des hurlements,
Un frisson secoua l'immense populace.
Alors, de sa main large et superbe de crasse,
Bien que le roi ventru suât, le Forgeron
Terrible, lui jeta le bonnet rouge au front !

La Bastille, au début du XVIIIe siècle

COMME UN DERNIER RAYON...

Comme un dernier rayon, comme un dernier zéphyre
    Animent la fin d'un beau jour,
Au pied de l'échafaud j'essaye encor ma lyre.
    Peut-être est-ce bientôt mon tour.
Peut-être avant que l'heure en cercle promenée
    Ait posé sur l'émail brillant,
Dans les soixante pas où sa route est bornée
    Son pied sonore et vigilant ;
Le sommeil du tombeau pressera ma paupière.
    Avant que de ses deux moitiés
Ce vers que je commence ait atteint la dernière,
    Peut-être en ces murs effrayés
Le messager de mort, noir recruteur des ombres,
    Escorté d'infâmes soldats,
Ébranlant de mon nom ces longs corridors sombres
    Où seul dans la foule à grands pas
J'erre, aiguisant ces dards persécuteurs du crime,
    Du juste trop faibles soutiens,
Sur mes lèvres soudain va suspendre la rime ;
    Et chargeant mes bras de liens,
Me traîner, amassant en foule à mon passage
    Mes tristes compagnons reclus
Qui me connaissaient tous avant l'affreux message,
    Mais qui ne me connaissent plus.
Eh bien ! j'ai trop vécu. Quelle franchise auguste,
    De mâle constance et d'honneur,
Quels exemples sacrés doux à l'âme du juste,
    Pour lui quelle ombre de bonheur,
Quelle Thémis terrible aux têtes criminelles,

Quels pleurs d'une noble pitié,
Des antiques bienfaits quels souvenirs fidèles,
Quels beaux échanges d'amitié,
Font digne de regrets l'habitacle des hommes ?
La peur fugitive est leur Dieu,
La bassesse, la feinte... Ah ! lâches que nous sommes
Tous, oui, tous. Adieu, terre, adieu,
Vienne, vienne la mort ! que la mort me délivre !...
Ainsi donc, mon cœur abattu
Cède au poids de ses maux ? Non, non, puissé-je vivre.
Ma vie importe à la vertu.
Car l'honnête homme enfin, victime de l'outrage,
Dans les cachots, près du cercueil,
Relève plus altiers son front et son langage,
Brillant d'un généreux orgueil.
S'il est écrit aux cieux que jamais une épée
N'étincellera dans mes mains ;
Dans l'encre et l'amertume une autre arme trempée
Peut encor servir les humains.
Justice, Vérité, si ma main, si ma bouche,
Si mes pensers les plus secrets
Ne froncèrent jamais votre sourcil farouche :
Et si les infâmes progrès,
Si la risée atroce, ou, plus atroce injure,
L'encens de hideux scélérats
Ont pénétré vos cœurs d'une large blessure ;
Sauvez-moi. Conservez un bras
Qui lance votre foudre, un amant qui vous venge.
Mourir sans vider mon carquois !
Sans percer, sans fouler, sans pétrir dans leur fange
Ces bourreaux barbouilleurs de lois !

Ces vers cadavéreux de la France asservie,
    Égorgée ! ô mon cher trésor,
Ô ma plume, fiel, bile, horreur, Dieux de ma vie !
    Par vous seuls je respire encor ;
Comme la poix brûlante agitée en ses veines
    Ressuscite un flambeau mourant,
Je souffre ; mais je vis. Par vous, loin de mes peines,
    D'espérance un vaste torrent
Me transporte. Sans vous, comme un poison livide,
    L'invisible dent du chagrin,
Mes amis opprimés, du menteur homicide
    Les succès, le sceptre d'airain,
Des bons proscrits par lui la mort ou la ruine,
    L'opprobre de subir sa loi,
Tout eût tari ma vie, ou contre ma poitrine
    Dirigé mon poignard. Mais quoi !
Nul ne resterait donc pour attendrir l'histoire
    Sur tant de justes massacrés ?
Pour consoler leurs fils, leurs veuves, leur mémoire ?
    Pour que des brigands abhorrés
Frémissent aux portraits noirs de la ressemblance,
    Pour descendre jusqu'aux enfers,
Nouer le triple fouet, le fouet de la vengeance
    Déjà levé sur ces pervers ?
Pour cracher sur leurs noms, pour chanter leur supplice ?
    Allons, étouffe tes clameurs ;
Souffre, ô cœur gros de haine, affamé de justice.
    Toi, vertu, pleure si je meurs.

Prison Saint-Lazare, 1794.

Ô SOLDATS DE L'AN DEUX !

Ô soldats de l'an deux ! ô guerres ! épopées !
Contre les rois tirant ensemble leurs épées,
  Prussiens, autrichiens,
Contre toutes les Tyrs et toutes les Sodomes,
Contre le czar du nord, contre ce chasseur d'hommes
  Suivi de tous ses chiens,

Contre toute l'Europe avec ses capitaines,
Avec ses fantassins couvrant au loin les plaines,
  Avec ses cavaliers,
Tout entière debout comme une hydre vivante,
Ils chantaient, ils allaient, l'âme sans épouvante
  Et les pieds sans souliers !

Au levant, au couchant, partout, au sud, au pôle,
Avec de vieux fusils sonnant sur leur épaule,
  Passant torrents et monts,
Sans repos, sans sommeil, coudes percés, sans vivres,
Ils allaient, fiers, joyeux, et soufflant dans des cuivres
  Ainsi que des démons !

La Liberté sublime emplissait leurs pensées.
Flottes prises d'assaut, frontières effacées
  Sous leur pas souverain,
Ô France, tous les jours, c'était quelque prodige,
Chocs, rencontres, combats ; et Joubert sur l'Adige,
  Et Marceau sur le Rhin !

On battait l'avant-garde, on culbutait le centre ;
Dans la pluie et la neige et de l'eau jusqu'au ventre,
    On allait ! en avant !
Et l'un offrait la paix, et l'autre ouvrait ses portes,
Et les trônes, roulant comme des feuilles mortes,
    Se dispersaient au vent !

Oh ! que vous étiez grands au milieu des mêlées,
Soldats ! L'œil plein d'éclairs, faces échevelées
    Dans le noir tourbillon,
Ils rayonnaient, debout, ardents, dressant la tête ;
Et comme les lions aspirent la tempête
    Quand souffle l'aquilon,

Eux, dans l'emportement de leurs luttes épiques,
Ivres, ils savouraient tous les bruits héroïques,
    Le fer heurtant le fer,
La Marseillaise ailée et volant dans les balles,
Les tambours, les obus, les bombes, les cymbales,
    Et ton rire, ô Kléber !

La Révolution leur criait : — Volontaires,
Mourez pour délivrer tous les peuples vos frères ! —
    Contents, ils disaient oui.
— Allez, mes vieux soldats, mes généraux imberbes ! —
Et l'on voyait marcher ces va-nu-pieds superbes
    Sur le monde ébloui !

La tristesse et la peur leur était inconnues.
Ils eussent, sans nul doute, escaladé les nues
    Si ces audacieux,
En retournant les yeux dans leur course olympique,
Avaient vu derrière eux la grande République
    Montrant du doigt les cieux !

PAYSANS ! PAYSANS !
LA VENDÉE

...
Paysans ! paysans ! hélas ! vous aviez tort,
Mais votre souvenir n'amoindrit pas la France ;
Vous fûtes grands dans l'âpre et sinistre ignorance ;
Vous que vos rois, vos loups, vos prêtres, vos halliers
Faisaient bandits, souvent vous fûtes chevaliers ;
À travers l'affreux joug et sous l'erreur infâme
Vous avez eu l'éclair mystérieux de l'âme ;
Des rayons jaillissaient de votre aveuglement ;
Salut ! Moi le banni, je suis pour vous clément ;
L'exil n'est pas sévère aux pauvres toits de chaumes ;
Nous sommes des proscrits, vous êtes des fantômes ;
Frères, nous avons tous combattu ; nous voulions
L'avenir ; vous vouliez le passé, noirs lions ;
L'effort que nous faisions pour gravir sur la cime,
Hélas ! vous l'avez fait pour rentrer dans l'abîme ;
Nous avons tous lutté, diversement martyrs,
Tous sans ambitions et tous sans repentirs,
Nous pour fermer l'enfer, vous pour rouvrir la tombe ;
Mais sur vos tristes fronts la blancheur d'en haut tombe,
La pitié fraternelle et sublime conduit
Les fils de la clarté vers les fils de la nuit,
Et je pleure en chantant cet hymne tendre et sombre,
Moi, soldat de l'aurore, à toi, héros de l'ombre.

14 décembre 1876.

L'IDOLE

Ô Corse à cheveux plats ! que la France était belle
    Au grand soleil de messidor !
C'était une cavale indomptable et rebelle,
    Sans freins d'acier ni rênes d'or ;
Une jument sauvage à la croupe rustique,
    Fumante encor du sang des rois,
Mais fière, et d'un pied fort heurtant le sol antique,
    Libre pour la première fois.
Jamais aucune main n'avait passé sur elle
    Pour la flétrir ou l'outrager ;
Jamais ses larges flancs n'avaient porté la selle
    Et le harnais de l'étranger ;
Tout son poil était vierge, et, belle, vagabonde,
    L'œil haut, la croupe en mouvement,
Sur ses jarrets dressée, elle effrayait le monde
    Du bruit de son hennissement.
Tu parus, et sitôt que tu vis son allure,
    Ses reins si souples et dispos,
Centaure impétueux, tu pris sa chevelure,
    Tu montas botté sur son dos.
Alors, comme elle aimait les rumeurs de la guerre,
    La poudre, les tambours battants,
Pour champ de course, alors, tu lui donnas la terre
    Et des combats pour passe-temps :
Alors, plus de repos, plus de nuits, plus de sommes ;
    Toujours l'air, toujours le travail,
Toujours comme du sable écraser des corps d'hommes,
    Toujours du sang jusqu'au poitrail ;
Quinze ans son dur sabot, dans sa course rapide,

Broya les générations ;
Quinze ans elle passa, fumante, à toute bride
Sur le ventre des nations ;
Enfin, lasse d'aller sans finir sa carrière,
D'aller sans user son chemin,
De pétrir l'univers, et comme une poussière
De soulever le genre humain ;
Les jarrets épuisés, haletante et sans force,
Près de fléchir à chaque pas,
Elle demanda grâce à son cavalier corse ;
Mais, bourreau, tu n'écoutas pas !
Tu la pressas plus fort de ta cuisse nerveuse ;
Pour étouffer ses cris ardents,
Tu retournas le mors dans sa bouche baveuse,
De fureur, tu brisas ses dents ;
Elle se releva : mais un jour de bataille,
Ne pouvant plus mordre ses freins,
Mourante, elle tomba sur un lit de mitraille
Et du coup te cassa les reins.

UNE SEMAINE DE PARIS
LA RÉVOLUTION DE 1830

...

Quels sont donc les malheurs que ce jour nous apporte ?
— Ceux que nous présageaient ses ministres et lui.
— Quoi ! malgré ses serments ! — Il les rompt aujourd'hui.
— Le ciel les a reçus. — Et le vent les emporte.
— Mais les élus du peuple ?... — Il les a cassés tous.
— Les lois qu'il doit défendre ? — Esclaves comme nous.
— Et la pensée ? — Aux fers. — Et la liberté ? — Morte.
— Quel était notre crime ? — En vain nous le cherchons.
— Pour mettre en interdit la patrie opprimée,
Son droit ? — C'est le pouvoir. — Sa raison ? — Une armée.
        — La nôtre est un peuple : marchons.

        Ils marchaient, ils couraient sans armes,
        Ils n'avaient pas encor frappé,
On les tue ; ils criaient : le monarque est trompé !
On les tue... Ô fureur ! Pour du sang, quoi ! des larmes !
De vains cris pour du sang ! — Ils sont morts les premiers ;
Vengeons-les, ou mourons. — Des armes ! Où les prendre ?
        — Dans les mains de leurs meurtriers :
À qui donne la mort c'est la mort qu'il faut rendre.

        Vengeance ! place au drapeau noir !
Passage, citoyens ! place aux débris funèbres
        Qui reçoivent dans les ténèbres
        Les serments de leur désespoir !
Porté par leurs bras nus, le cadavre s'avance.
Vengeance ! Tout un peuple a répété : Vengeance !
Restes inanimés, vous serez satisfaits !

Casimir DELAVIGNE

Le peuple vous l'a dit, et sa parole est sûre ;
      Ce n'est pas lui qui se parjure :
Il a tenu quinze ans les serments qu'il a faits.

      Il s'est levé : le tocsin sonne ;
      Aux appels bruyants des tambours,
      Aux éclats de l'obus qui tonne,
      Vieillards, enfants, cité, faubourgs,
      Sous les haillons, sous l'épaulette,
      Armés, sans arme, unis, épars,
      Se roulent contre les remparts
      Que le fer de la baïonnette
      Leur oppose de toutes parts.
      Ils tombent ; mais dans cette ville,
      Où chaque pavé sanglant
      La mort enfante en immolant,
      Pour un qui tombe, il en naît mille.

      ...
      Au Louvre, amis ! voici le jour !
      Battez la charge ! Au Louvre, au Louvre !
Balayé par le plomb qui se croise et les couvre,
      Chacun, pour mourir à son tour,
      Vient remplir le rang qui s'entr'ouvre :
Le bataillon grossit sous ce feu dévorant.
Son chef dans la poussière en vain roule expirant ;
Il saisit la victime, il l'enlève, il l'emporte,
Il s'élance, il triomphe, il entre... Quel tableau !
Dieu juste ! la voilà victorieuse et morte
      Sur le trône de son bourreau !

      ...

DANS LA RUE PAR UN JOUR FUNÈBRE DE LYON

RÉPRESSION DE 1834

LA FEMME :

Nous n'avons plus d'argent pour enterrer nos morts.
Le prêtre est là, marquant le prix des funérailles ;
Et les corps étendus, troués par les mitrailles,
Attendent un linceul, une croix, un remords.

Le meurtre se fait roi. Le vainqueur siffle et passe.
Où va-t-il ? Au Trésor, toucher le prix du sang.
Il en a bien versé... mais sa main n'est pas lasse ;
Elle a, sans le combattre, égorgé le passant.

Dieu l'a vu. Dieu cueillait comme des fleurs froissées
Les femmes, les enfants qui s'envolaient aux cieux.
Les hommes... les voilà dans le sang jusqu'aux yeux.
L'air n'a pu balayer tant d'âmes courroucées.

Elles ne veulent pas quitter leurs membres morts.
Le prêtre est là, marquant le prix des funérailles ;
Et les corps étendus, troués par les mitrailles,
Attendent un linceul, une croix, un remords.

Les vivants n'osent plus se hasarder à vivre.
Sentinelle soldée, au milieu du chemin,
La mort est un soldat qui vise et qui délivre
Le témoin révolté qui parlerait demain...

Marceline DESBORDES-VALMORE

DES FEMMES :

Prenons nos rubans noirs, pleurons toutes nos larmes ;
On nous a défendu d'emporter nos meurtris.
Ils n'ont fait qu'un monceau de leurs pâles débris :
Dieu ! bénissez-les tous ; ils étaient tous sans armes !

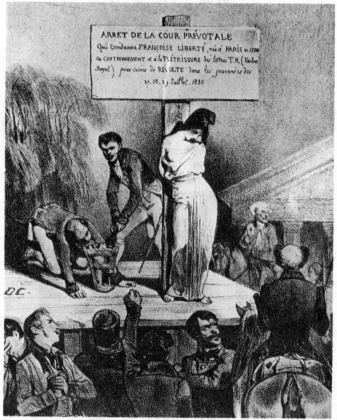

Révolution de 1830

LES JOURNÉES DE JUIN 1848
(extrait)

La France est blanche comme un lis,
Le front ceint de grises verveines ;
Dans le massacre de ses fils,
Le sang a coulé de ses veines ;
Ses genoux se sont affaissés
Dans une longue défaillance.
Ô Niobé des temps passés,
Viens voir la douleur de la France !

Refrain :   Offrons à Dieu le sang des morts
De cette terrible hécatombe,
Et que la haine et les discords
Soient scellés dans leur tombe !

Quatre jours pleins et quatre nuits,
L'ange des rouges funérailles,
Ouvrant ses ailes sur Paris
A soufflé le vent des batailles.
Les fusils, le canon brutal
Vomissaient à flots sur la ville
Une fournaise de métal
Qu'attisait la guerre civile.
(au refrain)

Combien de morts et de mourants,
Insurgés, soldats, capitaines !
Que d'hommes forts dans tous les rangs !
Peut-il encor rester des haines ?
Le pasteur tendant l'olivier,
D'une balle est atteint lui-même :
« Oh ! que mon sang soit le dernier ! »
Dit-il à son heure suprême.
(au refrain)
...

LE RETOUR

C'est toi, chère exilée ! Oh ! laisse que j'adore
Ta figure divine où rayonne l'aurore,
Ô République, amour vivace de nos cœurs !
La fosse où, dix-huit ans, de sinistres vainqueurs
T'ont murée, est ouverte, et tu viens, souriante,
Claire étoile aux rayons de qui tout s'oriente !
Les tombeaux ne t'ont rien laissé de leur pâleur ;
Tu viens la lèvre fière et le visage en fleur.

...

Oui, c'est toi ! C'est ta voix pure qui, ce matin,
A réveillé l'écho de son timbre argentin.
Oh ! Je doutais ! en proie à l'angoisse mortelle ;
Nous demandions depuis si longtemps : « Viendra-t-elle ? »
Hélas ! Nous t'attendions si désespérément,
Que nous disions : « Encore un songe qui nous ment ! »
C'était bien toi pourtant, République, ô guerrière !
Qui nous apparaissais dans un flot de lumière.
Tu savais ton pays presque désespéré ;
Alors, brisant du poing le sépulcre effaré
Qu'avait fermé sur toi la main d'un bandit corse,
Tu surgis dans ta grâce auguste et dans ta force,
En criant : « Me voici ! peuple, espère et combats ! »
Va, nous te garderons ! va, si tu succombas
Pour avoir, dans ta foi divinement sincère,
Pensé qu'un prince peut n'être pas un corsaire,
Qu'un serment est sacré, que l'honneur luit pour tous,
Sois tranquille, à présent nous prendrons garde à nous.

5 septembre 1870.

LE SACRE DE PARIS

Ô Paris ! c'est la cent deuxième nuit du siège,
　　Une des nuits du grand Hiver.
Des murs à l'horizon l'écume de la neige
　　S'enfle et roule comme une mer.

...
Dans l'étroite tranchée, entre les parois froides,
　　Le givre étreint de ses plis blancs
L'œil inerte, le front blême, les membres roides,
　　La chair dure des morts sanglants.

Les balles du Barbare ont troué ces poitrines
　　Et rompu ces cœurs généreux.
La rage du combat gonfle encor leurs narines,
　　Ils dorment là serrés entre eux.

L'âpre vent qui franchit la colline et la plaine
　　Vient, chargé d'exécrations,
De suprêmes fureurs, de vengeance et de haine
　　Heurter les sombres bastions.

Il flagelle les lourds canons, meute géante
　　Qui veille allongée aux affûts,
Et souffle par instants dans leur gueule béante
　　Qu'il emplit d'un râle confus.

Il gronde sur l'amas des toits, neigeux décombre,
　　Sépulcre immense et déjà clos,
Mais d'où montent encor, lamentable, sans nombre,
　　Des murmures faits de sanglots ;

LECONTE de LISLE

Où l'enfant glacé meurt aux bras des pâles mères,
    Où, près de son foyer sans pain,
Le père, plein d'horreur et de larmes amères,
    Étreint une arme dans sa main.

...

Ô Paris, qu'attends-tu ? La famine ou la honte ?
    Furieuse et cheveux épars,
Sous l'aiguillon du sang qui dans ton cœur remonte
    Va ! bondis hors de tes remparts !

Enfonce cette tourbe horrible où tu te rues,
    Frappe, redouble, saigne, mords !
Vide sur eux palais, maisons, temples et rues ;
    Que les mourants vengent les morts !
...

               Janvier 1871.

Les ruines de la rue de Rivoli sous la Commune

François COPPÉE

PLUS DE SANG !

Ô France ! je sais bien que dans cette tuerie,
À celui qui dira : « Pitié ! pudeur ! patrie ! »
    Ces acharnés répondront : « Non ! »
Que tout espoir de paix est presque une chimère ;
Mais je serai l'écho de ta douleur amère
    Parmi l'orage du canon.

Je sais que le massacre aux cent voix furieuses
Et que le crachement hideux des mitrailleuses
    Couvriront mes cris haletants ;
Mais je t'évoquerai, France, France éternelle,
Sanglante et découvrant ta gorge maternelle,
    Entre les corps des combattants.

...
Entends-tu le canon qui gronde par saccades ?
Les hommes sont partis, là-bas, aux barricades,
    Aux avant-postes, aux remparts.
À Vanves, à Neuilly, mitraille et balles pleuvent,
Hélas ! et c'est pourquoi tous ces cœurs qui s'émeuvent,
    Ces larmes dans tous les regards.

Mais si, nous détournant de cette morne scène,
Nous regardons plus loin, sur les bords de la Seine,
    France, cache-moi dans ton sein !
Que j'entende bondir ton noble cœur de femme
Qui se brise à l'aspect de cette lutte infâme
    Où ton peuple est ton assassin.

Que j'entende ta voix hurler, pleine de larmes :
— Ô mes fils égarés, jetez, brisez vos armes.
    Assez ! il n'est jamais trop tard.
Ne combattez pas plus pour un mot illusoire ;
Arrêtez, plus de sang ! nous n'avons qu'une gloire
    Et nous n'avons qu'un étendard.

...

                                     Avril 1871.

Prise du Pont de Neuilly, 1871

LES VERSAILLAIS

Comme un roquet hargneux, qui jappe après la blouse,
Et montre, en s'enfuyant, ses petits crocs aigus,
La campagne imbécile, ô Paris, te jalouse,
Et t'insulte de loin, en serrant ses écus.

Ce troupeau d'électeurs, de paysans stupides,
Que nul grand sentiment ne peut aiguillonner,
Ce peuple de lourdauds, de hobereaux cupides,
Veut tenter, ô Paris, de te découronner !
...
Cotillon-Galliffet fait saouler ses gendarmes
Et massacre en riant des enfants qu'il surprend ;
Viloy le grand crachat fait passer par les armes
L'héroïque Duval qui le brave en mourant.

Mac-Mahon le vaincu, qu'une erreur fit célèbre,
Portant encore au flanc la marque de Sedan,
Vient commander en chef la besogne funèbre,
Et du petit Thiers-Moltke exécuter le plan.

Les vieux prétoriens que Berlin nous renvoie,
Le visage encor chaud du soufflet allemand,
Pour marcher sur Paris s'enrôlent avec joie,
Espérant cette fois vaincre facilement.

Mâchonnant leur poil rude, ils passent dans Versailles,
Le ventre débordant leurs étroits ceinturons,
Et quand Sarcey leur parle, ils courent aux murailles,
Brandissant dans les airs leurs sabres fanfarons.

Étienne CARJAT

...
Et dans le clan serré des capons et des traîtres,
Dans cette fourmilière, où grouillent comme vers
Les boursiers sans ouvrage et les valets sans maîtres,
C'est à qui veut rayer Paris de l'univers.

Mais comme le lion tranquille dans l'arène,
Qui regarde à ses pieds se traîner les fourmis,
Forte de son bon droit, la cité souveraine
Attend sans s'émouvoir leur assaut tant promis.

Ses artilleurs sont prêts ; le doigt sur la détente,
Les soldats-citoyens attendent le signal,
Et sur ses bastions resplendit éclatante
La pourpre aux franges d'or du drapeau communal.

La nef parisienne, au fort de la tempête,
Dans la mer idéale a creusé son sillon ;
Le peuple la commande, et le robuste athlète
N'amènera jamais son rouge pavillon !

3 mai 1871.

Journée du 18 mars 1871

Charles KELLER

LE DERNIER FÉDÉRÉ

C'était l'un des vaillants de la rouge Commune.
Attaché jusqu'au bout à la sombre fortune
Du drapeau redouté par les bourgeois haineux,
Il avait défendu dans Paris lumineux,
Sous le soleil de Mai, les Droits et la Justice,
Trouvant beau de donner sa vie en sacrifice,
Resté fidèle après avoir perdu l'espoir,
Farouche, et s'exaltant au tragique devoir.
Reculant pas à pas, la face à la mitraille,
Six jours durant, avec la sublime canaille,
Il avait combattu les soldats enragés
Qui lentement prenaient Paris aux insurgés.
...
Maintenant, il repose, avec les camarades,
Au pied du mur témoin des lâches fusillades.
...

Tombeaux historiques (Père Lachaise)
Le Mur des Fédérés

LES ŒILLETS ROUGES

Dans ces temps-là, les nuits, on s'assemblait dans l'ombre,
Indignés, secouant le joug sinistre et noir
De l'homme de Décembre, et l'on frissonnait, sombre,
    Comme la bête à l'abattoir.

L'Empire s'achevait. Il tuait à son aise,
Dans son antre où le seuil avait l'odeur du sang.
Il régnait, mais dans l'air soufflait la Marseillaise.
    Rouge était le soleil levant.

Il arrivait souvent qu'un effluve bardique,
Nous enveloppait tous, faisait vibrer nos cœurs.
À celui qui chantait le recueil héroïque,
    Parfois on a jeté des fleurs.

De ces rouges œillets que, pour nous reconnaître,
Avait chacun de nous, renaissez, rouges fleurs.
D'autres vous répondront aux temps qui vont paraître,
    Et ceux-là seront les vainqueurs.

            Prison de Versailles. 4 octobre 1871.

LE JET D'EAU

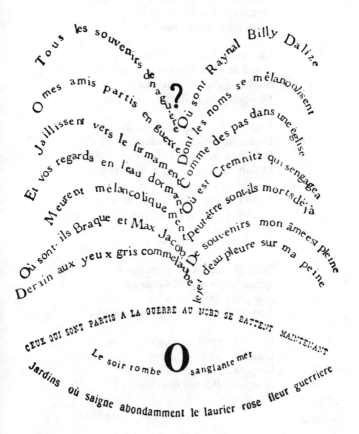

Tous les souvenirs de naguère
O mes amis partis en guerre
Où sont Raynal Billy Dalize
Dont les noms se mélancolisent
Jaillissent vers le firmament
Comme des pas dans une église
Et vos regards en l'eau dormant
Meurent mélancoliquement
Où sont-ils Braque et Max Jacob
Où est Cremnitz qui s'engagea
peut-être sont-ils morts déjà
Derain aux yeux gris comme l'aube
De souvenirs mon âme est pleine
Le jet d'eau pleure sur ma peine

CEUX QUI SONT PARTIS A LA GUERRE AU NORD SE BATTENT MAINTENANT
Le soir tombe O sanglante mer
Jardins où saigne abondamment le laurier rose fleur guerrière

DE PROFUNDIS

Du plus profond de la tranchée,
Nous élevons les mains vers vous,
Seigneur ! Ayez pitié de nous
Et de notre âme desséchée !

Car, plus encor que notre chair,
Notre âme est lasse et sans courage.
Sur nous s'est abattu l'orage
Des eaux, de la flamme et du fer.

Vous nous voyez couverts de boue,
Déchirés, hâves et rendus...
Mais nos cœurs, les avez-vous vus ?
Et faut-il, mon Dieu, qu'on l'avoue ?

Nous sommes si privés d'espoir,
La paix est toujours si lointaine,
Que parfois nous savons à peine
Où se trouve notre devoir.

Éclairez-nous dans ce marasme,
Réconfortez-nous, et chassez
L'angoisse des cœurs harassés ;
Ah ! rendez-nous l'enthousiasme !

Mais aux morts, qui tous ont été
Couchés dans la glace ou le sable,
Donnez le repos ineffable,
Seigneur, ils l'ont bien mérité !

1915.

RETOUR

J'étais dans un monde lunaire.
    Où ? Quand ?...
Que travailla comme un volcan
    La guerre.

Dans les maisons mortes, sans toit,
    Personne.
Mon Dieu que reste-t-il de toi,
    Péronne ?

Péronne, Albert, *et caetera,*
    Tant d'autres,
Oh ! qu'est-ce qui consolera
    Les nôtres ?

Voici tes restes confondants,
    Province !
Ton visage montre les dents
    Et grince.

Dans ces villages de travers,
    Décombres
Que hantent depuis quatre hivers
    Des ombres,

Muette, tu demeures là,
    Souffrance.
Se peut-il qu'on t'ait fait cela,
    Ma France ?

RIRES PRINTEMPS DE TRENTE-SIX...

...
Rires printemps de trente-six
Chansons improvisées
au coude à coude fraternel
Le soleil cru de juin nous fait tourner la tête
Tout va très bien Madame la Marquise
prend son vrai sens à *L'Opéra de quatre sous*
Les midinettes du quartier de l'Opéra
chantent Tino Rossi et *Ça ira* !
et dorment sur le sol près des lits Louis quinze
Les garçons de café sont debout sur le zinc
les ouvriers à cheval sur les murs
jouent de l'accordéon lèvent le poing
se sentent enfin libres derrière leurs grilles
briquent les ateliers reçoivent des artistes
et sont ravitaillés par le quartier
Avons-nous défilé quêté pour les grévistes
et salué Paris tes drapeaux jumelés
en cet été tout neuf de la fraternité
Paris lavé par la jeunesse de ta lutte
Paris éclatant d'avant le déluge
Paris brûlant d'un feu qui ne s'éteindra plus...

1940

Nous sommes très loin de nous-mêmes
Avec la France dans les bras,
Chacun se croit seul avec elle
Et pense qu'on ne le voit pas.

Chacun est plein de gaucherie
Devant un bien si précieux,
Est-ce donc elle, la patrie,
Ce corps à la face des cieux ?

Chacun le tient à sa façon
Dans une étreinte sans murmure
Et se mire dans sa figure
Comme au miroir le plus profond.

RICHARD II QUARANTE

Ma patrie est comme une barque
Qu'abandonnèrent ses haleurs
Et je ressemble à ce monarque
Plus malheureux que le malheur
Qui restait roi de ses douleurs

Vivre n'est plus qu'un stratagème
Le vent sait mal sécher les pleurs
Il faut haïr tout ce que j'aime
Ce que je n'ai plus donnez-leur
Je reste roi de mes douleurs

Le cœur peut s'arrêter de battre
Le sang peut couler sans chaleur
Deux et deux ne fassent plus quatre
Au Pigeon-vole des voleurs
Je reste roi de mes douleurs

Que le soleil meure ou renaisse
Le ciel a perdu ses couleurs
Tendre Paris de ma jeunesse
Adieu printemps du Quai-aux-Fleurs
Je reste roi de mes douleurs

Fuyez les bois et les fontaines
Taisez-vous oiseaux querelleurs
Vos chants sont mis en quarantaine
C'est le règne de l'oiseleur
Je reste roi de mes douleurs

Il est un temps pour la souffrance
Quand Jeanne vint à Vaucouleurs
Ah coupez en morceaux la France
Le jour avait cette pâleur
Je reste roi de mes douleurs

UN JOUR...

...
Un jour, je vis le soleil à travers les barreaux,
je flairais la luzerne et le bleuet bleu,
j'étais du côté des maudits,
l'appel improvisé jouait de ses grelots.
Je connus la chanson qu'on oubliait de taire,
c'était du temps des Allemands,
la campagne avait perdu tous ses amants,
le ciel prenait mémoire dans une mère.
Ah, dimanche carillonnant à travers les gonds
d'une porte fermée
quand le couchant
s'en va dans la lune d'un pré !
Ah, la fouille du soir dans un cœur défaillant !

C'était un bout de Marseillaise sur les lèvres d'un héros.
On gravait le temps sur les murs menaçants.

COURAGE

Paris a froid Paris a faim
Paris ne mange plus de marrons dans la rue
Paris a mis de vieux vêtements de vieille
Paris dort tout debout sans air dans le métro
Plus de malheur encore est imposé aux pauvres
Et la sagesse et la folie
De Paris malheureux
C'est l'air pur c'est le feu
C'est la beauté c'est la bonté
De ses travailleurs affamés
Ne crie pas au secours Paris
Tu es vivant d'une vie sans égale
Et derrière la nudité
De ta pâleur de ta maigreur
Tout ce qui est humain se révèle en tes yeux
Paris ma belle ville
Fine comme une aiguille forte comme une épée
Ingénue et savante
Tu ne supportes pas l'injustice
Pour toi c'est le seul désordre
Tu vas te libérer Paris
Paris tremblant comme une étoile
Notre espoir survivant
Tu vas te libérer de la fatigue et de la boue
Frères ayons du courage
Nous qui ne sommes pas casqués
Ni bottés ni gantés ni bien élevés
Un rayon s'allume en nos veines
Notre lumière nous revient
Les meilleurs d'entre nous sont morts pour nous

Et voici que leur sang retrouve notre cœur
Et c'est de nouveau le matin un matin de Paris
La pointe de la délivrance
L'espace du printemps naissant
La force idiote a le dessous
Ces esclaves nos ennemis
S'ils ont compris
S'ils sont capables de comprendre
Vont se lever.

1942.

LES BARBARES
VOULAIENT LES TUER
ILS LES ONT RENDUS
IMMORTELS
(Georges POLITZER fusillé le 14 Mai 1942)

MAURICE TENINE
MAURICE BARTHELEMY
CHARLES DELAVACQUERIE
MAXIMILIEN BASTARD
JULIEN LEPENSE
MARC BOURHIS
TITUS BARTOLI
EUGENE KERIVEL
HUONG HOUYNK
CLAUDE LALET
ANTOINE PESQUIER
EDMOND LEFEBVRE
RAYMOND TELLIER

CHARLES MICHEL
JEAN POULMARCH
PIERRE TIMBAUT
JULES VERCRUYSSE
DESIRE GRANET
MAURICE GARDETTE
JEAN GRANDEL
JULES AUFFRET
PIERRE GUEGUEN
RAYMOND LAFORGE
EMILE DAVID
GUY MOCQUET
HENRI POURCHASSE
VICTOR RENEL

22 OCTOBRE 1941
CHATEAUBRIANT

LA PLAIE...

La plaie que, depuis le temps des cerises,
je garde en mon cœur s'ouvre chaque jour.
En vain les lilas, les soleils, les brises
viennent caresser les murs des faubourgs.

Pays des toits bleus et des chansons grises,
qui saignes sans cesse en robe d'amour,
explique pourquoi ma vie s'est éprise
du sanglot rouillé de tes vieilles cours.

Aux fées rencontrées le long du chemin
je vais racontant Fantine et Cosette.
L'arbre de l'école, à son tour, répète

une belle histoire où l'on dit : demain...
Ah ! jaillisse enfin le matin de fête
Où sur les fusils s'abattront les poings !

1943.

LE SECRET

Il tient un secret farouche.
Pour le prendre, furieux,
Ils lui ont brisé la bouche,
Ils lui ont crevé les yeux.

Ils lui ont rompu les veines
Pour qu'à flots rouges, le sang,
En charriant tant de peine,
Le leur livre, gémissant.

Ils ont fouillé, mis en loques,
Pièce à pièce, tout son corps,
Puis ont, comme une défroque,
Jeté le reste à la Mort.

Ce n'était qu'un fils de femme,
Ce n'est qu'un pauvre petit,
Ha ! Mais du fort de son âme
Le secret n'est pas sorti.

LES FUSILLÉS DE CHÂTEAUBRIANT

Ils sont appuyés contre le ciel
Ils sont une trentaine appuyés contre le ciel
Avec toute la vie derrière eux
Ils sont pleins d'étonnement pour leur épaule
Qui est un monument d'amour.

Ils n'ont pas de recommandations à se faire
Parce qu'ils ne se quitteront plus jamais
L'un d'eux pense à un petit village
Où il allait à l'école
Un autre est assis à sa table
Et ses amis tiennent ses mains
Ils ne sont déjà plus du pays dont ils rêvent
Ils sont bien au-dessus de ces hommes
Qui les regardent mourir
Il y a entre eux la différence du martyre
Parce que le vent est passé là où ils chantent
Et leur seul regret est que ceux
Qui vont les tuer n'entendent pas
Le bruit énorme des paroles
Ils sont exacts au rendez-vous
Ils sont même en avance sur les autres
Pourtant ils disent qu'ils ne sont plus des apôtres
Et que tout est simple
Et que la mort surtout est une chose simple
Puisque toute liberté se survit

Prise de la Bastille →

14 JUILLET

...
Le génie de la Bastille a sauté parmi nous.
Il chante dans la foule, sa voix mâle nous emplit.
Au Faubourg s'est gonflé le levain de Paris.
Dans la pâte, nous trouverons des guirlandes de verdure,
quand nous défournons le pain de la justice...
C'est aujourd'hui ! Nous le partageons en un banquet,
sur de hautes tables avec des litres.
Le monde est en liesse, buvons et croyons !

LES POÈTES DE LA FRANCE EN POÉSIE

Guillaume Apollinaire (1880-1918). — Il fut le premier des poètes de notre siècle. La publication d'*Alcools* (1913) marque le début d'une poésie « moderne ». Les surréalistes se réclamèrent de lui. Il fit connaître le cubisme. Il avait choisi pour devise : « J'émerveille ». Grâce à sa poésie, il n'a pas fini.

Louis Aragon (1897-1982). — Avec ses amis André Breton, Robert Desnos, Philippe Soupault, il fut l'un des fondateurs du surréalisme (1923). Puis il s'engagea dans l'action politique. Il fut l'un des grands poètes de la résistance à l'occupation allemande (1940-1944/45) et ses recueils devinrent alors des « classiques » (*Les Yeux d'Elsa*, 1942). Beaucoup de ses poèmes ont été mis en musique.

Agrippa d'Aubigné (1552-1630). — Il se battit toute sa vie pour la cause protestante, par la plume et par l'épée. Il lutta aux côtés d'Henri de Navarre, le futur Henri IV, jusqu'à son entrée à Paris. En 1577, il commença un long poème vengeur, puissant, visionnaire : *Les Tragiques* (publié en 1616).

Auguste Barbier (1805-1882). — Poète romantique, il écrivit de nombreux recueils (*Lazare*, 1833 ; *Chants civils et religieux*, 1841). Son recueil le plus célèbre est celui des *Iambes* (1831), où il alterne alexandrins et octosyllabes.

Joachim du Bellay (1522-1560). — Il fit partie du groupe de poètes qui, sous le nom de la Brigade, puis de la Pléiade, renouvelèrent la poésie française à la Renaissance. Auteur de la célèbre *Défense et Illustration de la langue française* (1549), il partit à Rome comme intendant de son cousin le cardinal Jean du Bellay (1553). Il en rapporta un recueil, *Les Antiquités de Rome* (1557), puis il écrivit *Divers jeux rustiques* et *Les Regrets*.

Luc Bérimont (né en 1915). — Il participa, avec René Guy Cadou, à l'école poétique de Rochefort-sur-Loire qui a marqué un retour au lyrisme et au sentiment de la nature (*Le Grand Viager*, 1954 ; *L'Herbe à tonnerre*, 1958). Pour les enfants, il a écrit *L'Esprit d'enfance* (1980).

Jean-Marc Bernard (1881-1915). — Il faisait partie de l'école des Poètes fantaisistes qui assura, au début du XXe siècle, la tradition d'une poésie charmante, nostalgique, élégante (*La Mort de Narcisse*, 1904). Il écrivit son chef-d'œuvre, *De Profundis*, peu de temps avant de mourir à la guerre.

Henri Bosco (1888-1976). — D'abord professeur, il se consacra à la littérature et il fut un romancier célèbre (*L'Âne culotte*, 1937). Mais il a également écrit des poèmes qui, comme ses romans, s'inspirent de sa Provence natale (*Églogues de la mer*, 1928 ; *Bucoliques de Provence*, 1944 ; *Le Roseau et la Source*, 1949).

René Guy Cadou (1920-1951). — Mort à trente et un ans, René Guy Cadou est aujourd'hui reconnu comme l'un des poètes essentiels de notre siècle. Fondateur de l'école poétique de Rochefort-sur-Loire dont le lyrisme familier s'inspira de la nature, Cadou était instituteur, liant ainsi enfance et poésie. Ses textes sont admirables par leur simplicité et leur haute poésie (*Hélène ou le règne végétal*). Ses *Œuvres poétiques* ont été réunies en 1973.

Étienne Carjat (1828-1906). — Journaliste, puis photographe, Étienne Carjat était un républicain s'opposant à Napoléon III. Il était l'ami de certains poètes parnassiens. La Commune lui donna l'occasion d'écrire quelques vers.

Jean Cassou (né en 1897). — Cet écrivain fut aussi un homme d'action ; il participa au Front populaire (1936), à la Résistance, ce qui lui valut d'être emprisonné et d'écrire, sous le pseudonyme de Jean Noir, un chef-d'œuvre : *Trente-trois Sonnets composés au secret*. Après la guerre, il fut commissaire de la République, puis directeur du musée d'Art moderne. Ses poèmes ont été recueillis sous le titre *Œuvre lyrique* (1971).

Jean Cayrol (né en 1911). — Il a publié quelques recueils avant la guerre de 1939 (*Ce n'est pas la mer*, 1935). Il s'engage dans la résistance à l'occupation allemande, il est arrêté, déporté, il en réchappe par miracle et s'impose alors comme un poète grave et secret (*Poèmes de la nuit et du brouillard*, 1945 ; *Pour tous les temps*, 1955). Dans *Poésie-journal* (1969) il essaie de traiter l'actualité de façon poétique.

Jacques Charpentreau (né en 1928). — Instituteur, puis professeur (*Poèmes pour les ouvriers et les autres*, 1955 ; *Poèmes pour les amis*, 1963 ; *Allégories*, 1964 ; *Le Romancero populaire*, 1974). Il a écrit des poèmes à l'intention des enfants (*La Ville enchantée*, 1970 ; *Paris des enfants*, 1978 ; *Poésie en jeu*, 1981 ; *Mots et Merveilles*, 1981). Il est également l'auteur de nombreuses anthologies (*Poèmes d'aujourd'hui pour les enfants de maintenant*, 1958).

André Chénier (1762-1794). — Favorable aux idées nouvelles qui menèrent à la Révolution de 1789, André Chénier n'accepta pas la violence et il la dénonça. Il fut guillotiné deux jours avant la chute de Robespierre. Ses poèmes (beaucoup inachevés) furent publiés en 1819. Inspirée par l'Antiquité aussi bien que par la science, sa poésie est tantôt tendre, tantôt satirique. Ce grand poète assure la transition du classicisme au romantisme.

Chrétien de Troyes (1135-1190). — Il est considéré comme le premier auteur de « romans » (histoires écrites en langue romane « vulgaire »). Mais ces récits étaient écrits en vers. On a conservé de lui cinq romans en octosyllabes de plusieurs milliers de vers.

Clod'Aria (née en 1916). — Des poèmes simples, chantants, une solide verdeur et le sens de la revendication (*Poèmes mélodiques*, 1956 ; *Cris muets*, 1959 ; *Les Vieux ; La Machine à battre*, 1954).

François Coppée (1842-1908). — D'abord employé dans un ministère, François Coppée devint célèbre grâce à sa première pièce, *Le Passant* (1869). Il continua à écrire des pièces et des recueils de poèmes (*Les Humbles ; Promenades et Intérieurs*, 1872). Ses vers, d'un prosaïsme voulu, ont eu beaucoup de succès. Ils semblent aujourd'hui souvent plus moralisateurs que poétiques.

Charles Cros (1842-1888). — Il fut un inventeur plein d'imagination, puisqu'il mit au point, entre autres appareils, un télégraphe automatique, qu'il fit la théorie de la photographie en couleurs — et décrivit le principe du phonographe avant Edison (1877). Il écrivit des poèmes charmants ou caustiques, réunis dans *Le Coffret de santal* (1873).

Lucie Delarue-Mardrus (1880-1945). — Lucie Delarue épousa le docteur Mardrus, le célèbre traducteur des *Mille et une nuits*, qu'elle accompagna dans ses voyages en Orient. Mais c'est sa Normandie natale qui tint la première place dans ses poèmes (*Occident*, 1901 ; *Par vents et marées*, 1910 ; *Mort et Printemps*, 1932).

Casimir Delavigne (1793-1843). — Dès la publication de ses premières *Messéniennes* (1815-1822), des poèmes patriotiques, il fut célèbre. Par la suite, ses œuvres dramatiques connurent également un grand succès (*Les Vêpres siciliennes*, 1818). Ses *Chants populaires* (1840) s'inspirent de l'actualité politique.

Marceline Desbordes-Valmore (1786-1859). — Elle eut une vie difficile, ayant vu mourir plusieurs de ses enfants. Elle écrivit des poèmes d'une grande musicalité où s'épanchait son cœur ; ils lui valurent l'estime des grands écrivains de son temps, Lamartine, Hugo, par exemple. Ses vers nous touchent encore (*Poésies*, 1842 ; *Poésies inédites*, 1860).

Pierre Dupont (1821-1870). — D'origine modeste, il fut apprenti canut, employé de banque, puis, grâce à la protection de Lebrun, il put publier par souscription son premier recueil, *Les Deux Anges* (1842). Il mit lui-même en musique ses textes qui devinrent des chansons très populaires. Son recueil *Chants et Chansons* (1853) fut préfacé par Baudelaire.

Paul Éluard (1895-1952). — Avec ses amis, Aragon, Breton, Desnos, il fut l'un des fondateurs du surréalisme (1923). Il publia *Les Animaux et leurs hommes* en 1920, puis *Capitale de la douleur* (1926). Sa poésie possède un ton caractéristique fait d'exactitude, de rapprochements inattendus. Il s'engagea politiquement, il participa à la résistance contre l'occupation allemande (1940-1944/1945) et il écrivit alors des poèmes qui devinrent très célèbres (*Poésie et Vérité*, 1942).

Pierre Ferran (né en 1930). — Maître-assistant à l'École normale supérieure de Saint-Cloud, Pierre Ferran se partage entre l'enseignement et la poésie. Son œuvre est plaisante, variée, parfois tendre, toujours pleine d'humour (*Les Yeux*, 1971 ; *Les Urubus*, 1972 ; *Les Zoos effarés*, 1972 ; *Nous mourons tous des mêmes mots*, 1974). Il est l'auteur du *Livre des Epitaphes* (1973), une savoureuse anthologie.

Louis Marcellin de Fontanes (1757-1821). — Il fut le Grand Maître de l'Université napoléonienne, et un excellent administrateur. Mais il fut aussi un écrivain qui annonçait le romantisme, dans ses recueils plus habiles que vraiment poétiques (*La Forêt de Navarre*, 1780 ; *Le Chant du Barde*, 1783 ; *La Maison rustique*, 1788 ; *Poésies et Discours*, 1837).

Paul Fort (1872-1960). — L'œuvre de Paul Fort est considérable. Il l'a réunie en dix-sept volumes sous le titre général des *Ballades françaises et Chroniques de France*, entre 1897 et 1958. De la prose rythmée et rimée à l'assonance, il s'est forgé une forme poétique personnelle. Il fut élu « Prince des poètes » en 1912.

André Frénaud (né en 1907). — Après des études de droit et de philosophie, il fut lecteur à l'université de Lwów (1930) alors en Pologne (aujourd'hui en Union soviétique). Fait prisonnier en 1940, il reste captif en Allemagne jusqu'en 1942. C'est alors qu'il commence à écrire *Les Rois mages*. De retour en France, il participe au recueil poétique clandestin *L'Honneur des poètes*. Par la suite, il publia de nombreux recueils (*Il n'y a pas de Paradis*, 1962 ; *La Sorcière de Rome*, 1973).

Pierre Gamarra (né en 1919). — Romancier, poète, il écrit des textes où le mystère se fait tendre pour les enfants (*La Mandarine et le Mandarin*, 1970 ; *Le Sorbier des oiseaux*, 1976). Il est également l'auteur d'anthologies poétiques (*La Mère et l'enfant*, 1982). Il est rédacteur en chef de la revue *Europe*.

Albert Glatigny (1839-1879). — Ce poète parnassien eut une vie aventureuse. À dix-sept ans, il se joignit à une troupe de comédiens ambulants et il parcourut la France en écrivant des pièces de théâtre et des recueils de poèmes (*Les Vignes folles*, 1857 ; *Les Flèches d'or*, 1864 ; *Gilles et Pasquins*, 1872). Il fut arrêté par erreur en Corse par un gendarme qui l'avait confondu avec un assassin alors recherché. Il prit froid en prison. Il en mourut.

José Maria de Heredia (1842-1905). — Né à Santiago de Cuba, Heredia, de mère française, vint en France à l'âge de huit ans et il y fit ses études. Il devait, avec *Les Trophées* (1893), devenir l'un de nos plus grands poètes, maître du sonnet impeccable, aux vers colorés, créant des scènes suggestives.

Victor Hugo (1802-1885). — Le plus grand, le plus célèbre, le plus varié de tous les poètes français. Ses convictions politiques le portèrent du royalisme de son adolescence à la défense de la République par amour de la liberté et par souci des humbles. Il a eu le courage de s'opposer à la dictature de Napoléon III. Il a vécu vingt ans en exil. Il fut romancier, homme de théâtre, écrivain complet. Sa poésie a traité tous les genres, tous les styles, elle est une inépuisable réserve de beauté

(*Odes et Ballades*, 1826 ; *Les Châtiments*, 1853 ; *Les Contemplations*, 1856 ; *La Légende des siècles*, 1859 ; *L'Art d'être grand-père*, 1877).

Charles Keller (1843-1913). — L'ingénieur Charles Keller fut membre de la première Internationale. Communard, il dut se réfugier en Suisse. Sa poésie est militante et forte (*Du fer, poèmes et bardits*, 1897). Il a écrit sous le pseudonyme de Jacques Turbin.

Étienne de La Boétie (1530-1563). — Ce conseiller au parlement de Bordeaux fut l'ami de Michel de Montaigne qui l'immortalisa en vantant leur amitié. Montaigne publia, après la mort de son ami, deux séries de sonnets (1570).

Jules Lafforgue (1873-1947). — Il écrivit une thèse de droit, un roman, une pièce de théâtre et un recueil de vers (*Premiers pas*, 1898). Son poème *Les Vieilles de chez nous*, mis en musique par Charles Levadé en 1900, est devenu une chanson célèbre. Il ne doit pas être confondu avec son homonyme Jules Laforgue (1860-1907).

Alphonse de Lamartine (1790-1869). — Il fut un homme politique courageux, il participa aux luttes politiques de son époque : il fut l'un des animateurs de la révolution de 1848. Mais il fut surtout un des plus grands poètes du Romantisme, avec un succès qui se manifesta dès ses *Méditations poétiques* (1820). Sa poésie, toujours mélodieuse, exprime les tourments d'une âme blessée. Elle est l'une des plus hautes expressions du lyrisme français (*Les Harmonies poétiques et religieuses*, 1830 ; *Les Recueillements poétiques*, 1839). Il faut se laisser porter par cet admirable chant.

Philéas Lebesgue (1869-1958). — Il écrivit une œuvre poétique abondante, tout en continuant son travail de fermier dans l'Oise. Sa poésie est simple, solide, bien proche de la réalité (*Les Buissons ardents*, 1910 ; *Les Servitudes*, 1933 ; *Ma cueille des quatre saisons*, 1945).

Charles Leconte de Lisle (1818-1894). — D'une famille bretonne, il naquit à l'île de la Réunion, mais vint en France en 1845. Il fut partisan de la révolution de 1848 et de l'émancipation des Noirs. Sa poésie, très soignée, se réclame de l'école parnassienne. Pour nous, elle est parfois un peu surchargée d'exotisme facile, mais c'est bien la voix d'un poète authentique qu'on entend dans les *Poèmes antiques* (1852), *Poèmes barbares* (1862), *Poèmes tragiques* (1886).

Charles Le Goffic (1863-1932). — Son patronyme breton signifie « le petit forgeron ». En fait, né à Lannion dans une famille d'imprimeurs et de libraires, il fut l'artisan d'une œuvre très nombreuse dont l'aréopage littéraire parisien jugea, en 1930, qu'elle lui valait l'entrée à l'Académie. Il était naturel qu'en 1889 son premier succès fût celui d'un livre de poèmes intitulé *Amour breton*. Il était loin de penser devenir un jour « immortel » lorsqu'il publiait, de 1910 à 1920, une douzaine de romans (dont *L'Abbesse de Guérande*, 1913 ; *Passions celtes*), ainsi que les *Contes de l'Armor et de l'Argoat* et les chroniques de *L'Ame bretonne* (1902-1910).

Jean Loisy (né en 1901). — Rédacteur en chef de la revue *Points et Contrepoints*, Jean Loisy est l'auteur d'une œuvre abondante qui continue la tradition de l'école romane, mais avec une vive sensibilité qui, malgré le classicisme assoupli de la forme, laisse apparaître une mélancolie romantique (*Suite basque*, 1936 ; *Odes, Stances, Chansons*, 1938 ; *Feux et Lumière*, 1952 ; *Couleurs nuit lumière*, 1977).

Bernard Lorraine (né en 1933). — Après avoir été comédien, Bernard Lorraine a beaucoup voyagé à travers le monde. Il est aujourd'hui professeur. Sa poésie est allègre, souvent féroce, indignée, voire révoltée. Mais elle n'ignore pas la tendresse (*Seuls*, 1964 ; *Vitriol*, 1966 ; *Provocation*, 1966 ; *Azertyuiop*, 1969 ; *Il y aura*, 1978). Il a écrit pour les enfants *La Ménagerie de Noé* (1981).

Rouben Melik (né en 1921). — Après avoir participé à la résistance contre l'occupation allemande, sous le pseudonyme de « Musset », Rouben Melik a travaillé dans une importante maison d'édition. Ses vers, d'une facture très classique, sont illuminés d'images (*Chant réuni*, 1967 ; *Ce corps vivant de moi*, 1976). Il est l'auteur d'une anthologie de la *Poésie arménienne* (1974).

Pierre Menanteau (né en 1895). — Il a été longtemps enseignant. Il a toujours su rester proche de l'enfance dans sa poésie très attachée également à sa Vendée d'origine, aux forces de la nature, aux éléments, aux êtres simples (*Le Cheval de l'aube*, 1952 ; *Bestiaire pour un enfant poète*, 1958 ; *De chair et de feuille*, 1966 ; *À l'école du buisson*, 1971). Il a écrit pour les enfants *Au rendez-vous de l'arc-en-ciel* (1982).

Louise Michel (1830-1905). — Fille naturelle d'un riche opposant républicain qui lui fit donner une excellente instruction, elle fut une haute figure de la révolution et de la générosité. Institutrice libre (elle ne voulut pas prêter serment à Napoléon III), elle se dévoua à la cause du peuple, elle participa à la Commune avec un grand courage, elle se livra aux Versaillais pour qu'ils libèrent sa mère. Elle fut déportée en Nouvelle-Calédonie (1873) et elle n'en revint qu'en 1880. Surnommée « la Vierge rouge », elle fut aussi un poète dont l'œuvre reste à redécouvrir.

Armand Monjo (né en 1913). — Après avoir participé à la Résistance, il est devenu enseignant tout en publiant des poèmes (*La Colombe au cœur*, 1961 ; *Le Temps gagné*, 1962 ; *Univers naturel*, 1965). Un engagement généreux, un lyrisme simple, un grand amour de la nature se retrouvent dans ses œuvres (*L'Oiseau rouge perpétuel*, 1975).

Jean-Luc Moreau (né en 1937). — Linguiste, Jean-Luc Moreau enseigne les langues finno-ougriennes. Il a traduit de nombreux poèmes du hongrois, du finnois, de l'allemand, du russe. Dans un genre difficile, ses traductions sont des modèles dont la valeur est reconnue internationalement. Poète lui-même, il est très sensible au charme, à la poésie, à l'inattendu, aux résonances des mots, en des textes souvent pleins d'humour (*L'Arbre perché*, 1974).

Anna de Noailles (1876-1933). — Elle publia *Le Cœur innombrable* en 1901. Elle fut l'amie des écrivains, des poètes qu'elle attira en son luxueux hôtel de Paris. Écrits en vers réguliers, ses poèmes laissent apparaître une âme romantique (*Les Éblouissements*, 1907 ; *Les Forces éternelles*, 1921).

Marie Noël (1883-1968). — Elle vécut retirée à Auxerre où elle mena une vie très calme. Mais ses poèmes, très souvent religieux, ont constitué, dans leur simplicité, une œuvre qui s'est imposée par ses qualités humaines, littéraires, sa sincérité et l'émotion qui s'en dégage (*Les Chants de la merci*, 1930 ; *Le Rosaire des joies*, 1930 ; *Chants d'arrière-saison*, 1961).

Catherine Paysan (née en 1926). — Le choix de son pseudonyme indique assez l'amour que ce poète porte à la nature et aux forces de la terre. Romancière très célèbre, dramaturge, elle écrit aussi des vers d'une intense poésie (*Écrit pour l'âme des cavaliers*, 1955 ; *La Pacifique*, 1957 ; *La Musique du feu*, 1967). Ses *Cinquante-deux poèmes pour une année* (1982) sont destinés aux enfants.

Charles Péguy (1873-1914). — D'origine modeste, après des études qui le menèrent à l'École normale supérieure, il refusa l'enseignement pour se consacrer à la littérature et il fonda les *Cahiers de la quinzaine* (1900). Il revint à la foi catholique (1907). Il publia des poèmes (*Les Tapisseries*, 1911) et des Mystères (*Le Mystère de la charité de Jeanne d'Arc*, 1910). Il fut tué à la guerre. Sa poésie est très caractéristique, les vers s'enchaînent comme en un lent piétinement.

Henri Pichette (né en 1924). — Rendu célèbre par son poème dialogué *Les Épiphanies* (1947), Henri Pichette est un poète vigoureux, aux images fortes et généreuses (*Les Revendications*, 1957). Son lyrisme et sa révolte donnent un ton épique à son œuvre.

Raymond Queneau (1903-1976). — Après avoir participé au surréalisme, il s'est consacré à la littérature et à l'édition. Romancier, il a connu un très grand succès avec *Zazie dans le métro* (1959). Sa poésie a atteint le grand public grâce à la chanson (*Si tu t'imagines*). Son œuvre est importante : humour léger, jeu sur les mots, fantaisie charmante, mais aussi inquiétude profonde sur la vie et la destinée (*Le Chien à la mandoline*, 1965 ; *Battre la campagne*, 1968 ; *Fendre les flots*, 1970 ; *Morale élémentaire*, 1975).

Henri de Régnier (1864-1936). — Il fut l'un des maîtres du symbolisme. Sa poésie est délicate, fine, harmonieuse, elle utilise les ressources du vers libre (*Les Jeux rustiques et divins*, 1897 ; *Les Médailles d'argile*, 1900 ; *Le Miroir des heures*, 1910). Il fut aussi romancier et critique.

Madeleine Riffaud (née en 1924). — Officier FTP, lors de la Résistance, Madeleine Riffaud fut arrêtée, torturée, sauvée de l'exécution par la libération de Paris. Ses poèmes portent la marque de cette terrible expérience. Elle devint ensuite journaliste. *Cheval rouge* (1973) réunit des poèmes écrits entre 1939 et 1972.

Arthur Rimbaud (1854-1891). — Après des études brillantes, il vient à Paris (1871) puis part avec Verlaine en Grande-Bretagne, ensuite en Belgique où ils se séparent dramatiquement. Rimbaud a déjà écrit alors de nombreux poèmes et commencé *Une Saison en enfer* et *les Illuminations*. Puis il abandonne la poésie et mène une vie errante qui le conduit jusqu'en Abyssinie. Il revient mourir à Marseille. Sa vie et sa poésie donnent ensuite naissance à un véritable mythe.

Pierre de Ronsard (1524-1585). — Il fut l'un des fondateurs du groupe de la Pléiade qui sut réformer la langue française et redonner vigueur à la poésie en prenant modèle dans les œuvres de l'Antiquité. Malgré une langue aujourd'hui vieillie, il reste l'un de nos plus grands poètes, dans les *Amours à Cassandre* (1552), *à Marie* (1555), *à Hélène* (1578).

Claude Roy (né en 1915). — Romancier, essayiste, poète, Claude Roy a rassemblé ses premiers textes dans *Un seul poème* (1954). On y trouve une poésie grave et légère à la fois, exprimant avec grâce des thèmes essentiels : l'amour, la mort, la solidarité. Jamais pesante, sa poésie chante juste (*Est-ce que nous sommes encore loin de la mer ?*, 1979). On lui doit deux ravissants recueils pour les enfants (*Enfantasques*, et *Nouvelles Enfantasques*, 1974 et 1978).

Albert Samain (1858-1900). — Dans la tradition du symbolisme, Albert Samain écrivit des poèmes mélancoliques, cherchant à exprimer des sentiments subtils, des émotions délicates. Il y réussit souvent (*Au jardin de l'Infante*, 1893 ; *Aux flancs du vase*, 1898 ; *Le Chariot d'or*, 1901).

Jules Supervielle (1884-1960). — Il fut l'un des trois poètes français à naître à Montevideo, en Uruguay (avec Lautréamont et Jules Laforgue). Poète sensible, fin, son œuvre fait la plus large place à une espèce de mystère cosmique, de complicité planétaire qui lie les êtres, les astres, les hommes. Sa poésie chante longtemps en nous (*Le Forçat innocent*, 1930 ; *Les Amis inconnus*, 1934 ; *La Fable du monde*, 1938 ; *Oublieuse Mémoire*, 1949).

André Theuriet (1833-1907). — Il fut très attaché à ses origines familiales lorraines. L'amour de son terroir se retrouve dans la plupart de ses recueils (*Le Chemin des bois*, 1867 ; *Le Bleu et le Noir*, 1873 ; *Nos oiseaux*, 1886 ; *Le Livre de la payse*, 1887).

Pierre Unik (1910-1945). — Il participa au surréalisme et publia un recueil de poèmes en 1934 (*Le Théâtre des nuits blanches*). Il fut fait prisonnier par les Allemands en 1940, interné ensuite en Tchécoslovaquie. Il s'échappa du camp pour aller au-devant de l'armée soviétique et disparut.

Paul Verlaine (1844-1896). — L'un des plus grands poètes français dont les vers délicats, d'une très grande musicalité, chantent à jamais dans la mémoire. Il mena une vie difficile, tumultueuse, qui finit dans la déchéance et l'alcoolisme. Il nous reste une œuvre où se détachent des poèmes d'une rare perfection (*Poèmes saturniens*, 1866 ; *La Bonne Chanson*, 1870 ; *Romances sans paroles*, 1875 ; *Sagesse*, 1881).

Arsène Vernemouze (1850-1910). — Né dans le Cantal, il vécut fidèle à son pays natal ; l'Auvergne lui inspira ses plus beaux vers (*En plein vent*, 1900 ; *Mon Auvergne*, 1903 ; *Dernières Veillées*, 1911).

Alfred de Vigny (1797-1863). — Après une carrière militaire qui le déçut, Alfred de Vigny se consacra à la littérature. Malgré le succès de son drame, *Chatterton* (1835), il ne connut pas une grande popularité. Son attitude hautaine le conduisit à se retirer dans sa « tour d'ivoire ». Il est cependant considéré comme l'un des plus grands poètes romantiques (*Poèmes*, 1822 ; *Les Destinées*, 1863).

Charles Vildrac (1882-1971). — Il écrivit avec Georges Duhamel des *Notes sur la technique poétique* (1910) où il préconisait le vers assonancé, au rythme marqué. Il l'utilisa souvent dans ses recueils généreux, à la poésie simple et franche (*Poèmes*, 1905 ; *Livre d'amour*, 1910 ; *Chants du désespéré*, 1920). Il fut par ailleurs un auteur dramatique à succès (*Le Paquebot Tenacity*, 1920).

TABLE DES MATIÈRES

80. Jacques Charpentreau, Les Anonymes (*Le Romancero populaire*, Éd. Ouvrières, 1974).

PRÉSENCES DU PASSÉ
83. Paul Fort, Chanson du hanneton (*L'Arlequin de plomb*, Flammarion, 1936).
84. Henri Pichette, Les Naïvetés ardentes. Extrait (*Les Armes de la justice. Les Revendications*. Le Mercure de France, 1948).
86. Jean-Luc Moreau, Dagobert (*L'Arbre perché*. Les Éd. Ouvrières, 1980).
86. Chanson traditionnelle, Le Bon Roi Dagobert.
87. Paul Verlaine, La Pucelle (publié dans *Le Second Parnasse contemporain* 1869. *Jadis et Naguère*, Léon Vanier, 1885).
88. Charles Péguy, Adieux de Jeanne d'Arc à la Meuse (*Jeanne d'Arc*, Acte III, 1897. Gallimard, 1948).
90. François Coppée, Le Fils de Louis XI (*Le Cahier rouge*. Alphonse Lemerre, 1874).
91. Agrippa d'Aubigné, Je veux peindre la France... (extrait des *Tragiques* I. Misères, 1616).
92. Pierre de Ronsard, Discours à la reine Catherine de Médicis, extrait, (1562).
93. Paul Verlaine, Sagesse d'un Louis Racine.. (*Sagesse*. Société générale de Librairie catholique).
94. Arthur Rimbaud, Le Forgeron. Extrait (*Le Reliquaire*, 1891. Œuvres complètes. Le Mercure de France, 1898).
97. André Chénier, Comme un dernier rayon... (*Iambes*, 1794).
100. Victor Hugo, O soldats de l'an deux... extrait de *À l'obéissance passive* (*Les Châtiments*. Bruxelles, Samuel, 1853).
102. Victor Hugo, Paysans ! Paysans ! extrait de *Jean Chouan* (*La Légende des siècles*. Nouvelle série. Calmann-Lévy, 1877).
103. Auguste Barbier, L'Idole (*Iambes*, 1831).
105. Casimir Delavigne, Une semaine de Paris (La révolution de 1830). Extrait (*Les Messéniennes*, édition de 1840. Charpentier).
107. Marcelline Desbordes-Valmore, Dans la rue par un jour funèbre de Lyon (répression de 1834) (*Pièces isolées*. *Œuvres poétiques*. Alphonse Lemerre, 1886).
109. Pierre Dupont, Les Journées de Juin 1848 (*Chants et chansons*, 1853).
110. Albert Glatigny, Le Retour. Extrait (*Fer rouge, Nouveaux Châtiments*, 1871).
111. Leconte de Lisle, Le Sacre de Paris, extrait (*Poèmes tragiques*, Alphonse Lemerre, 1886).
113. François Coppée, Plus de sang ! Extrait (*Écrit pendant le Siège*. Alphonse Lemerre, 1871).
115. Étienne Carjat, Les Versaillais, extrait (*Journal de la Commune*, mercredi 3 mai 1871).
117. Charles Keller, Le Dernier Fédéré, extrait (*Du fer, poèmes et Bardits*, 1897).
118. Louise Michel, Les Œillets rouges (4 octobre 1871).
119. Guillaume Apollinaire, Le Jet d'eau (*Calligrammes*, Gallimard, 1925).
120. Jean-Marc Bernard, De Profundis (1915. *Œuvres*. Le Divan, 1923).
121. Lucie Delarue-Mardrus, Retour (*Les Sept Douleurs d'octobre*. Ferenczy et fils, 1930).
122. Armand Monjo, Rires printemps de trente-six... Extrait de Paris d'avant le déluge (*Né du soleil des pierres*. P.-J. Oswald, 1972).

123. Jules Supervielle, 1940, (*Poèmes de la France malheureuse*, 1939-1941. Cahiers du Rhône, Neuchâtel, 1942).
124. Louis Aragon, Richard II Quarante (*Le Crève-Cœur*, Gallimard, 1940).
125. Jean Cayrol, Un jour... (3 mai 1976, extrait de *Poésie-Journal*, tome 2, Le Seuil, 1977).
126. Paul Éluard, Courage (1942. *Les Lettres françaises clandestines,* janv. févr. 1943. *Les Armes de la douleur.* Comité national des écrivains. Toulouse, 1944).
128. Jean Cassou, La plaie... (Vingt-troisième *des Trente-trois sonnets composés au secret*, 1943. Éd. de Minuit, 1944).
129. Marie Noël, Le Secret (*Chants des temps en feu. Chants d'arrière-saison.* Stock, 1961).
130. René Guy Cadou, Les Fusillés de Châteaubriant (*Pleine poitrine.* Fanlac, 1946).
131. André Frénaud, 14 Juillet. Extrait (*Il n'y a pas de Paradis.* Gallimard, 1967).

Crédit Photo : p. 5, 6, 9, 10, 11, 12, 17, 19, 22, 27, 29, 33, 34, 35, 36, 37, 42, 45, 47, 50, 57, 58, 65, 67, 70, 71, 81, 82, 85, 87, 89, 90, 96, 108, 112, 114, 116, 117, 118, 123, 125, 127, 129, 131 : photo Roger-Viollet ; P. 75 : photo BN ; P. 41, 49 : tous droits réservés.

Recherche iconographique et conception graphique SPIRAL ATELIER EDITIONS.

Nous remercions Messieurs les Auteurs et Éditeurs qui nous ont autorisés à reproduire textes ou fragments de texte dont ils gardent l'entier copyright (texte original ou traduction). Nous avons par ailleurs, en vain, recherché les héritiers ou éditeurs de certains auteurs. Leurs œuvres ne sont pas tombées dans le domaine public. Un compte leur est ouvert à nos éditions.

Achevé d'imprimer
le 24 mars 1983
sur les presses de
l'Imprimerie Hérissey
à Évreux (Eure)

N° d'imprimeur : 31948
Dépôt légal : mars 1983
ISBN 2-07-034043-0

31838